Soazig Aaron est née à Rennes en 1949. Marquée par l'ignominie de la Shoah, elle fait, à 20 ans, un court séjour en Israël. Après des études d'histoire, elle travaille dans une librairie parisienne puis décide d'écrire sous un nom de plume biblique par fidélité au grand-oncle qui l'a élevée. Elle publie alors *Le non de Klara*, récompensé par la Bourse Goncourt du premier roman et par le prix Emmanuel-Roblès en 2002. Soazig Aaron vit depuis une vingtaine d'années en Bretagne en compagnie de son mari peintre et graveur.

LE NON DE KLARA

SOAZIG AARON

LE NON DE KLARA

MAURICE NADEAU

© Maurice Nadeau, 2002
ISBN 2-266-12883-3

À Morgan
À Yann

Il faut avoir beaucoup dit pour mériter de se taire.

Robert Pinget
(Taches d'encre)

Dimanche 29 juillet 1945

Klara est revenue. Voilà, c'est écrit. Il faut que je l'écrive pour que ce soit plus vrai et pour y croire. Depuis trois jours, je ne suis certaine de rien. Klara est revenue. Ce cahier au mauvais papier est providentiel... sinon, tout va couler, je vais couler.

Nous parlons, oui. Nous parlons. À deux, à trois.
Alban, moi.
Klara, moi.
Alban, Klara.
Alban, Klara, moi.
Il n'empêche. Tout m'échappe.
Klara est revenue. Dans les dernières. Klara est revenue.
Klara, Klara, Klara.
Ce nom à dire et à redire pour savoir que c'est Klara, l'amie Klara, mon amie Klara, Klara la femme de mon frère, Klara la mère de Victoire.
Depuis vendredi, nous nous relayons auprès d'elle, Alban et moi, ici rue Richer. Elle refuse de voir Victoire sa petite fille, et aussi Agathe qui a nourri et sauvé Victoire en juillet 42.
Il y a comme une glace épaisse entre nous. Ce n'est pas qu'elle dise des choses insensées, pourtant, il y a de la folie autour d'elle. Tantôt elle parle vite, tantôt lentement sur un ton uni. À aucun moment elle n'est

calme, même si le débit de sa voix est toujours monocorde. Elle martyrise le coussin à l'angle du divan ou bien elle marche dans le salon, elle ne reste jamais en place.

C'est tout de même étrange que je sois passée jeudi au Lutétia. Il n'y avait plus beaucoup d'espoir, ils sont presque tous revenus, mais je me trouvais près de la rue de Sèvres, je me suis dit que je pouvais faire un saut, on ne sait jamais. Je pense aussi maintenant que pendant longtemps j'y serais retournée si je n'avais pas eu de certitude sur le sort de Klara. J'avais laissé nos coordonnées, le nom de Klara et sa photo, mais par acquit de conscience j'y passais régulièrement, ne serait-ce que pour y rencontrer d'autres qui auraient pu la connaître. C'est ce que font beaucoup, avec l'espoir toujours, et tous disent « on ne sait jamais » et moi, je le disais aussi.

Quand je suis entrée dans le hall, je n'ai plus pensé. J'ai senti que Klara était là... elle est là. Je ne la vois pas, mais elle est là. C'est bizarre. J'ai une bouffée de chaleur, mon cœur s'emballe, mes mains tremblent, je ne peux pas les arrêter. Tout le monde connaît cela.

Il n'y a que deux femmes assises et un jeune homme debout, un drôle de petit homme, au large dans une veste très boutonnée, un pantalon noir assez fripé tombe sur des chaussures de montagne et une toute petite valise rouge entre. À côté, par terre, il y a comme un animal noir, un chien couché. Le garçon a les cheveux blonds très courts, il a des joues creuses et imberbes et d'immenses yeux, souvent ils ont de grands yeux. En tout cas, ces grands yeux me regardent, me fixent peut-être depuis un moment. C'est Klara. Elle ne bouge pas. Je me souviens de ses yeux. Fixes. Tout le monde dit les yeux, ce sont les yeux, quelque chose dans les yeux, on reconnaît. Je ne le croyais pas. Tous ceux que j'ai vu revenir, ceux en mauvais état, ceux qu'on ne reconnaît pas justement, ils ont les yeux vides, vides, si vides qu'à force d'être vides ils paraissent profonds. Alors on ne sait plus.

Peut-être cela a-t-il duré longtemps. J'ai le souvenir d'être collée au sol, de ne penser à rien. Mes jambes ont dû faire les pas nécessaires pour la prendre dans mes bras, elle est toute raide, elle me laisse l'embrasser, je ne le fais qu'une fois, tout son corps dit non.

Je dois dire Klara, Klara, c'est tout. Cela pourrait être bête, ridicule même, je peux me tromper, et lui, le jeune homme ne rien dire, me prendre pour une folle. Je n'ai pas le temps d'y réfléchir parce que Klara dit, « bonjour, Angélika, comment vas-tu ». Sa voix est rauque. Je me souviens de sa voix douce, la douce Klara, l'entêtée Klara, mais douce.

Pendant que j'écris, je l'entends marcher dans le salon. Elle croit que je dors. Elle, elle ne dort pas. Elle sommeille un peu sur le divan quelques quarts d'heure de temps en temps, puis il y a une sorte de cri pas très fort, et tout de suite après elle reprend sa marche. En dépit du couloir qui nous sépare, je l'entends. Le plancher est trop sonore, je vais ramener des tapis de Trocadéro. Elle ne veut pas occuper la chambre à côté du salon, elle n'a pas voulu de ma chambre non plus qui est plus calme que sur la rue.

Je n'ai rien imaginé, je ne suis pas préparée, elle est là et elle ne m'aide pas. Mes mains tremblent et je commence à claquer des dents. Alors, elle se baisse pour prendre la petite valise rouge et le chien. C'est un gros manteau noir. Elle dit, « on va partir ». Sa voix est sans timbre ou plutôt sans inflexion, je suis perdue. Pourtant je dis, « il faut prévenir, il y a des choses à faire à la réception ». Elle, « laisse tomber, ils m'ont emmerdée assez ». Je sais, je sens que ce n'est pas Klara d'avant, mais devant tant de... comment qualifier cela ? Désinvolture, indifférence, rancœur, il y a de tout cela sans doute, je reprends mes esprits et je dis, comme je l'aurais dit auparavant, « tu m'attends dehors si tu veux, je vais arranger ça ».

Elle sort. Je trouve quelqu'un pour expliquer que Klara Schwarz-Roth part avec moi, que c'est ma belle-sœur, que nous avons laissé nos coordonnées, le docteur Naël et moi Solange Blanc, depuis des mois déjà, et que nous n'avons pas été prévenus. La fille cherche partout sur les listes sans trouver le nom de Klara, elle voit nos noms, mais pas celui de Klara. Je ressors, la fille sur mes talons. Klara regarde vers le boulevard, je dis, « on ne trouve pas ton nom, Klara ». Elle ne se retourne même pas, elle dit, « Sarah Adler ». La fille dit, « ah, c'est vous ! ? ». Je retourne avec la fille, on reconsulte la liste et il y a Sarah Adler. Je suis un peu gênée, pas trop cependant, j'ai presque envie de rire parce qu'en me retournant, j'ai vu Klara hausser les épaules et je trouve cela comique. C'est ce qu'on s'exerçait à faire tous les trois en 38 pour ressembler aux Français.

La fille dit, « je crois qu'elle n'est pas très facile ». Je réponds, « ah ! bon... depuis combien de temps est-elle là ? ». C'est indiqué lundi 16 juillet, elle revient d'Auschwitz, mais rien ne correspond à rien, normalement elle aurait dû être là depuis au moins deux mois, elle n'est pas très coopérante, et en plus si elle a menti sur son état civil, c'est encore moins clair. Je dis, « c'est le nom de son père, il n'y a que le prénom de faux, enfin si on peut dire. Je ne vous connais pas, mais je suis venue ici, bénévole comme vous en avril et mai, et le docteur Naël vient encore quand il peut pour les consultations d'arrivée. Klara n'est pas une simulatrice, mais elle doit avoir ses raisons, vous savez comme moi combien ils sont bizarres ». Elle s'est détendue. « Je ne peux rien vous dire de plus, c'est une collègue qui connaît mieux le cas. Mais il faudra tirer au clair toute son histoire, vous comprenez pour les papiers, l'identité et tout le reste, savoir à quoi elle a droit. » Je promets.

Alban ira demain, Klara ne veut rien faire.

Je rejoins Klara. Elle n'a pas bougé, la petite valise rouge et le manteau-chien à ses pieds. Je dis, « pardonne-moi, Klara, mais il fallait le faire. On va prendre un taxi, on rentre à la maison, tu te sens bien ? Tu veux que je porte quelque chose ? ».

Elle : — Non. Oui ça va. C'est quoi la maison, tu n'habites plus comme avant.

Moi : — Tu as été rue Richer ?

Elle : — Oui. Il n'y avait personne. Les choses sur les fenêtres étaient mises.

Moi : — J'habite avec Alban et Victoire au Trocadéro, Victoire est grande, elle est adorable, elle va te plaire je suis sûre.

On est déjà sur le boulevard, elle marche bravement à mes côtés, il y a peu de monde sur le trottoir, ses chaussures font plach sur le macadam mou. Elle s'arrête pile. « Non che ne feux pas. » C'est juste à ce moment précis que je réentends l'accent de Klara – elle ne l'a jamais perdu ni en français ni en anglais – et aussi son élocution lente dont je ne me souviens pas. Pour temporiser, et parce que je crois à une difficulté de langue, je dis, « tu veux qu'on parle allemand ? ». Elle dit, « non, ça non plus, plus jamais, et che ne feux pas foir l'enfant ». Elle redépose son petit bagage rouge et le chien. Elle ne bouge plus et agite sa tête d'oiseau énergiquement, et c'est non, non, non, che ne feux pas foir cette enfant.

Il faut prendre une décision, Klara n'est que dans le refus. Elle me fait peur parce que ce n'est plus Klara. Il faut aussi m'habituer. Je dis qu'on va au café pour discuter, qu'il faut qu'elle boive et mange quelque

13

chose. Il faut, il faut, il faut. Combien de il faut vais-je devoir accomplir désormais !

Je choisis une place discrète au fond, je crains les regards sur Klara, elle semble si étrange. Premières paroles de Klara au café.

Klara : — Tu vois, je suis revenue.

Moi : — Du temps a passé. Trois ans.

Elle : — Tu vois, on revient... depuis mars, je me balade. J'ai été à Krakow, à Praha, à Linz, à Berlin et dans toute l'Allemagne où j'ai pu, j'ai fait le tour de ma maison. Les autres étaient pressés de rentrer, moi, non. Ils vont retrouver un pays, moi j'ai quitté le mien, une dernière fois. Et je suis là.

Moi : — Depuis une semaine, m'a dit la fille du Lutétia. Pourquoi, Klara ?

Elle : — Je ne savais pas où tu étais, j'ai voulu revoir Paris seule, il faut du temps. Tous les après-midi, je restais une heure dans le hall, après je partais. Aujourd'hui, il me restait une demi-heure encore...

Moi : — Rue Lafayette, il y a Agathe et ton appartement aussi. Agathe aurait pu...

Elle : — Non.

Moi : — Tu ne veux pas revoir Agathe non plus ! ?

Elle : — Non.

Moi : — Ça va être dur tout ça...

Elle : — Tu lui diras que j'ai toujours sa grande épingle, regarde.

Elle me montre une épingle de nourrice à l'intérieur de sa veste sous le col.

Moi : — Pendant trois ans ?

Elle : — Oui. Elle a servi à tout, dis-lui, et aussi une dernière phrase, je te dirai plus tard, une très belle chose, dis-lui, mais je ne veux pas la voir.

Moi : — Et Victoire, qu'est-ce qu'on va faire, Klara ? C'est une petite fille jolie et joyeuse. Tu ne peux pas imaginer ce qu'elle est mignonne et drôle, une vraie bavarde, elle est adorable, Klara, elle parle très bien, toute blonde et bouclée comme toi tu étais...

Elle : — Victoire elle s'appelle...

Moi : — Oui, j'ai changé Vera, je l'ai déclarée à mon nom dix jours après... avec mon nouveau nom Blanc, et Alban l'a reconnue aussi pour plus de sécurité. Les parents d'Alban nous ont laissé l'appartement du Trocadéro à ce moment-là, avenue Henri-Martin tu sais, c'était plus sûr. Eux, sont partis en province.

Elle : — C'est bien Victoire... j'avais dit qui vivra verra, et son nom a été Vera... et vous, Victoire... qui vivra Victoire... c'est bien. Mais moi, je suis morte et cette petite fille a des parents. Elle a de la chance. On ne refuse pas la chance à quelqu'un.

Moi : — Tu viendrais chez nous, Klara ? Victoire est chez Agathe. Pour ce soir, on peut faire ainsi.

Elle : — Oui... si l'enfant n'est pas là, je viens, sinon je retourne à l'hôtel. C'est possible et c'est sans importance.

Pendant la conversation, le garçon vient prendre la commande.

Klara : — Je veux un café.

Moi : — S'il vous plaît, monsieur, je vous prie, et de même pour moi.

Au téléphone, je réussis non sans mal à obtenir Alban à son service.

J'essaie ici d'écrire l'histoire calmement pour mettre un peu d'ordre dans mes pensées, mais ce n'est pas facile parce qu'en réalité, dans le même temps, j'avais beaucoup de choses en tête. Victoire était un gros morceau, mais il y avait aussi Rainer toujours présent. La situation était si délicate que je ne me demandais pas pourquoi Klara ne s'inquiétait pas de Rainer. Cela aurait dû me sembler curieux, je pensais Rainer, Rainer tout le temps en fond, et je n'ai rien dit moi non plus. C'est maintenant que je réalise combien tout cela était anormal, mais tout était anormal.

J'étais sous le choc, et dans ce café une conversation a eu lieu sans que je réfléchisse mes surprises, mes questions ou mes absences de questions, c'était du même ordre que l'accent de Klara que j'ai clairement entendu après plusieurs échanges, comme ça, brusquement.

En plus de tout cela, je me rends compte à présent, j'observais Klara. Ou plutôt, je l'enregistrais. Ce pourrait être un gamin de seize ans, une femme de quarante et on ne sait quoi encore, quelqu'un dont on ne saisirait pas le temporel, en sorte qu'on pourrait dire qu'elle possède toute l'étendue des temporels et tous les modes aussi, jusqu'au neutre de l'objet.

Alban est très heureux au téléphone, il dit, « non ! Comment est-elle, ça va ou pas ? ». Je dis, « pas comme tu crois, oui, maigre, très, très maigre, mais tu as vu pire je crois. Non, mais elle est bizarre, je te dis tout de suite le plus... elle ne veut pas voir Victoire ni Agathe, qu'est-ce qu'on fait ? » Sans doute pense-t-il vite, mais il y a tout de même un « ah ! ». J'entends, « ah !... eh bien je passe chez Agathe pour lui demander de garder Victoire cette nuit. Je quitte ici dans une heure, on prend Klara chez nous ce soir et on avise. Tu vas bien, Lika ? Il faut être forts tous les deux, mon amour. C'est dur hein ! Je serai là, tu sais bien, je suis là. J'achète pour le dîner si tu veux, on fait quelque chose de bien pour elle ». Je réponds, « tu crois ? » et je dis très vite, « merci, merci, cela me fait du bien de t'entendre, je suis un peu perdue ».

Lundi 30 juillet 1945

Ce soir, on s'est quittées assez tôt. J'ai dit que je voulais dormir, mais je n'y arrive pas, alors je continue à écrire comme hier. Pour l'instant, je ne l'entends pas. Avant de se quitter, elle m'a dit, « là-bas, je n'ai jamais eu de cauchemar. Maintenant ici, sans cesse. Les cauchemars sont venus ici et dans tout mon voyage depuis la Pologne. Au cœur du cauchemar, pas de cauchemar. Ici, toujours le cauchemar. J'habite toutes les nuits le cœur du cauchemar ».

Samedi, j'ai eu une longue conversation avec Agathe. Elle a été bouleversée. Dans un premier temps, elle a presque crié de colère. « Alors nous, on lui a gardé son trésor, on a pris des risques, surtout vous deux, mais moi, mes parents, les parents d'Alban, on était tous prêts à le faire, à vous relayer si besoin et elle, comme ça, elle dit, non je ne veux pas de votre trésor ! C'est fou, elle est folle ! » Après, elle s'est calmée. Agathe est l'honnêteté même, elle a dit, « oui, mais on aime aussi le trésor et on a aimé prendre des risques, on ne va pas se plaindre, je suis idiote ». Finalement, elle est plus blessée que vexée. Ce qui la choque le plus, c'est pour Victoire. Elle est si maternelle qu'elle ne peut pas comprendre. Elle dit, « je suis obligée d'admettre que cela existe, mais j'ai du mal à y croire ». Pourtant, elle a été la première à se réjouir et à mettre le doigt sur ce qu'on a éprouvé tous au fond de nous, en ce qui me concerne j'en suis certaine, et tel que je vois Alban avec Victoire depuis le début, ce doit être pareil. Au fond oui, on ne perdra pas Victoire. C'est peut-être Agathe qui va nous aider à voir le bon côté des choses.

Je lui ai dit pour l'épingle de nourrice. Elle a eu les larmes aux yeux, elle répétait, « mais qu'est-ce qu'ils lui ont fait, mais qu'est-ce qu'on lui a fait ? Elle est si gentille Klara, c'était mon amie. Mes plus belles photos, c'est elle qui les a faites. Et ce qu'on a pu rire tous ensemble, et à Barbery avec Alban et toi et Rainer et Adrien et aussi Frédéric, c'était avant la guerre, et même en 40 on riait encore un peu. Et pourquoi a-t-elle été au recensement, on lui avait tous dit. Mais c'est quoi cette vie de Klara, et Rainer est mort, et elle revient, et maintenant, elle est comme ça, c'est trop bête, trop bête ». J'ai demandé, « et qu'est-ce que tu as dit en dernier ? Elle m'a confié que tu avais dit une chose très belle ».
Agathe : — Une chose très belle ! ?... Je ne sais pas. Je me souviens que Victoire et Isidore dormaient tête-bêche dans le petit lit chez moi, et que je voulais surtout que les deux autres cons me confient la clé de Klara pour sauver ses affaires. C'est ce qu'on a fait ensemble après pour ses appareils, ses dossiers, les bijoux de sa mère et les choses de Victoire et Rainer. Une chose très belle ?... Je ne me souviens pas. J'étais surtout sens dessus dessous. J'ai peut-être donné l'épingle à ce moment-là, tu sais on fait des choses absurdes. Le coup de l'épingle, je ne me souvenais pas, alors dire quelque chose de beau... tout est possible, Lika, ça peut arriver à tout le monde.

À ce moment-là, j'ai embrassé Agathe parce que c'était si bon de l'écouter, et j'ai ri en la serrant très fort parce que c'était comique de l'entendre s'excuser pour une belle chose qu'elle aurait dite.

Après, nous avons reparlé des bons moments passés tous ensemble surtout à Barbery chez ses parents. Ils nous ont soutenu durant toute la guerre. Antoine s'est mis à cultiver jusqu'à la pelouse dont il avait été si fier. Il disait, à la guerre comme à la guerre. Il avait aménagé une petite pièce près du grenier avec le reste de son matériel d'architecte. Le soir, il faisait de grands plans somptueux du futur potager. C'était plus magnifique que la réalité, mais les légumes ont bien voulu pousser malgré tout, et les soupes d'Adeline ! Elle a élevé des poules, des lapins, ils ont acheté une chèvre – elle a été volée seulement l'année dernière. Les œufs et le lait étaient surtout pour les enfants à partir de 43. Antoine et Adeline ont appris au fur et à mesure, ils s'activaient tout le temps pour calmer leurs inquiétudes.

Quand on venait, on aidait. Les garçons avec Antoine, les filles avec Adeline. Agathe nous apprenait à construire des patrons. On coupait, cousait, retournait les cols, rapetassait disait Adeline. Agathe était la fée. Elle faisait obéir n'importe quel tissu au doigt et à l'œil. C'était magique. Klara désespérait de ses mains, alors elle prenait des photos. Moi, j'aurais pu mieux faire, mais je n'avais aucune patience.

Noël 41, un coq avec des pommes de terre de la pelouse et une tarte aux pommes parfumée de vieille cannelle, ce fut grandiose. On était tous là encore.

Le soir, Rainer jouait des valses de Chopin, des petites pièces de Brahms. Antoine et Klara, Alban et Agathe dansaient. On parlait de tout sauf de ce qu'on faisait à Paris les uns et les autres, par pudeur, par prudence, et pour que ces moments rares soient heureux comme avant guerre, cela nous faisait du bien. On le savait.

Après chaque repas, eux disaient, « encore un... ». Ils n'achevaient pas, par égard pour nous trois, mais Alban nous avait fourni le reste de la phrase, et nous aussi on a dit, « encore un... » et on riait. 41, 42, 43, 44, années d'angoisse. Rainer, Klara, Adrien, Frédéric, tous partis pour une histoire différente. Ceux qui restaient, Alban et moi, Agathe et ses parents autour d'Isidore et Victoire, les bébés qui ont grandi. Et nous aussi.

Maintenant, il nous manque Rainer et Frédéric. Adrien est revenu avec un œil en moins. Il dit que ce n'est pas cher pour ce qu'il a vécu. Ce n'est plus l'étudiant farceur, il est grave Adrien, il se sent même responsable de son neveu, cela fait rire Agathe. Frédéric a mal tourné comme on dit ici. Agathe ne sait pas tout à son sujet ou bien elle ne le dit pas. Quand il l'a quittée, on a su très vite pourquoi, mais tout à fait par hasard. Nous sommes partis de nos appartements Alban et moi. C'était après juillet 42. Les parents d'Alban ont poussé à cette décision quand on leur a raconté l'engagement de Frédéric. Il savait trop de choses sur nous, c'était vraiment risqué, mais il n'a dénoncé personne. Il aurait pu le faire. Intimement, on croyait cela impossible, mais Léandre et Louise n'étaient pas tranquilles pour moi et la petite. Eux aussi disaient, on ne sait jamais, et à la guerre comme à la guerre.

Mercredi 1ᵉʳ août 1945

J'ai passé la soirée d'hier avec les enfants chez nous. Agathe a pu aller dîner chez des amis. Il faut qu'elle revoie des gens pour établir des contacts, c'est important pour elle. Elle est seule pour élever son fils. Alban est venu ici pour la nuit avec Klara. On n'ose pas la laisser seule. Elle ne le demande pas non plus. Elle ne demande rien d'ailleurs.

Il faut du temps. Les quelques moments où nous nous voyons Alban et moi, c'est notre leitmotiv : il faut du temps.

Nous n'avons pas encore prévenu Léandre et Louise, pas plus qu'Antoine et Adeline. Agathe est d'accord. Il faut attendre.

Je tourne autour de la première soirée à la maison. C'était jeudi dernier, presque une semaine déjà. Je dis cela, pourtant je pense, une éternité.

J'ai ouvert la porte, je suis entrée la première. Klara s'est avancée. Elle est restée plantée près du portemanteau. J'ai dit, « accroche ton manteau Klara, viens ». J'étais sur le seuil de la grande salle, elle ne bougeait pas. Je reprends au présent. Je suis sur le seuil du salon, elle ne bouge pas. Puis, elle fait un pas, je l'attends en reculant un peu. C'est comme les premiers pas de Victoire, peur qu'elle tombe. Je l'encourage, « allez viens Klara, ici c'est le salon ». Elle lève un pied, esquisse

21

le geste de le poser plus loin, mais le repose à côté de l'autre. J'ai toutes les patiences. Depuis quelques heures, c'est comme si déjà j'acceptais son rythme. Moi aussi, comme elle, je ne suis plus familière de mes lieux, je reste avec elle, là, debout. Elle tient serré serré la poignée de la petite valise rouge, une main crispée, que des os. Rien je crois, ne la ferait décrocher. Elle ne lâche pas non plus son manteau-chien qu'elle tient en boule sous son bras droit. Elle entre enfin avec des délicatesses de chat au bord d'une flaque. Sans doute la tension, j'éclate de rire. « Il n'y a pas de mine, Klara, tu peux venir ! » Ce serait Agathe, ce serait Klara d'avant, je la pousserais, je l'entourerais de mes bras, je la bousculerais et l'embrasserais. Mais là, on ne peut pas toucher, c'est défendu et je ne sais pas quoi faire de mes bras.

Encore je l'attends. Le fatal « tu veux boire quelque chose » est mal venu aussi, mais je le dis. Elle finit par s'asseoir au bord d'un fauteuil... hop ! hop Klara ! Klara bondit dans n'importe quel fauteuil en levant haut les jambes hop ! hop Klara ! J'adore les fauteuils, pas vous ? Et les garçons : tu nous le refais, Klara ? hop Klara !

J'ai des larmes devant Klara sur le bord, l'extrême bord du fauteuil, comme s'il allait la mordre, avec sa minuscule mallette et son chien, son nounours de manteau noir. J'ai la gorge nouée, je ne sais plus quoi faire.

Je m'assois par terre à ses pieds. Aussitôt, elle glisse sur le tapis et reste appuyée le dos au fauteuil, les genoux remontés. Elle pose délicatement sa valise et la recouvre du manteau. Je recule sur les fesses pour m'adosser au fauteuil d'en face.

Je parle doucement.

Moi : — Il y a beaucoup de choses à se dire, Klara. Comment commencer ? Tu veux me dire un peu ? Comment c'était ?

Elle : — (voix rauque) Là-bas. Ça s'appelle là-bas.

Ça s'appelait Oswiecim. Eux ont inventé un autre nom en allemand. C'était un endroit pour les saints et pour les bêtes. Certains sont devenus des saints. Ils sont tous morts. Je ne jurerais de personne, mais peut-être... nous avons été tous des saints. Alors, nous sommes tous morts... mais si tout cela est réel, il faut imaginer que tout le reste du monde dormait.

Moi : — J'ai parlé avec quelques personnes revenues d'Auschwitz, on a su ici depuis que c'était un des camps les plus atroces.

Elle : — Je ne sais pas. Je n'ai pas quitté là-bas... des mois, vingt-neuf je crois... j'ai calculé... vingt-neuf... Peut-être qu'on revient pour voir comment c'est. Peut-être que ce n'est pas possible. Six mois que je me pose la question. Depuis que je suis sortie de là-bas, je sais que c'est une faute. Je trouverais normal d'y retourner. À chaque instant, demain, plus tard... je serais prête. Même si... On me dirait... Là-bas, c'est comme si tout avait existé depuis la nuit des temps, on dit cela la nuit des temps, depuis la nuit des temps, et nous, on était dans la nuit du temps sauf ces salauds de printemps et d'automnes, les deux nous disaient que ce n'était peut-être pas depuis la nuit des temps... pourtant, c'était comme un mouvement perpétuel, est-ce que cela aurait pu s'arrêter... de soi-même... je veux dire convois, fumée, convois, fumée et toute la misère autour... on devrait se dénaturaliser humain si humain cela veut dire, cela implique ça, être capable de ça... quoi dire d'autre ?

Je continue cette soirée, ce premier soir. Il faut que j'en vienne à bout pour toutes les choses difficiles qui se sont dites.

Alban est arrivé. Il n'a rien manifesté, mais plus tard dans la nuit, avant de s'endormir, il m'a dit, « c'est la première personne connue que je revois. Tous mes malades je ne les connais pas d'avant, ce n'est pas pareil. Elle, oui, ça m'a fait un choc. Au jugé, c'est un petit quarante kilos, ce n'est pas une catastrophe. Elle tient debout depuis six mois, elle s'est remise un peu je pense avec ses vitamines. Tu as demandé pour les cheveux ? C'est curieux, ils auraient dû repousser depuis... ».

J'y ai repensé pendant qu'Alban dormait déjà.

J'étais fatiguée, mais impossible de me détendre donc j'ai pensé aux cheveux de Klara. Pourquoi ne m'ont-ils pas choquée plus que cela ? Pourquoi ne me suis je pas posé de questions ? Je revois la tête de Klara, la tête menue et les cheveux courts, très courts, mais une coupe de garçon ce n'est pas choquant avec un accoutrement masculin. Si elle était en robe, peut-être. Ce doit être cela, la vision superposée du jeune homme et la connaissance dans le même temps que c'est Klara. J'ai dû mélanger les deux très vite. Il y a eu trop de choses ensemble, et les cheveux ont été enregistrés tout de suite sans questionnement. Ou bien, on peut comprendre autrement : le tout extérieur de Klara était si inassimilable que ce n'était pas plus les cheveux que les vêtements, que la maigreur, que les yeux, que l'attitude, et moi, j'ai délaissé les détails parce que mon urgence était de retrouver Klara d'avant, un indice, quelque chose de tangible pour me pincer en quelque sorte, me dire que je ne rêvais pas. J'ai été plus dans la recherche des preuves de Klara, mais rien n'a dévoilé la Klara d'avant.

En bon médecin, Alban avait fait hacher de la viande et prévu de la purée. Il avait acheté des fromages mous et du gâteau un peu sec, de la confiture de cerises. Il y avait aussi deux bouteilles de bordeaux et du pâté de foie.

Je me suis un peu moqué, ce n'est pas l'idée qu'on se fait d'un festin, mais lui, « il faut des choses faciles à passer, on ne sait jamais... ». Eh bien, Klara a peu mangé, très peu même, beaucoup moins que Victoire ne l'aurait fait. Elle a commencé par sortir des tubes de la poche de sa veste. Elle avait trois sortes de vitamines, des C et des B quelque chose. Alban a demandé à voir, il a dit que cela allait, mais qu'il regarderait de plus près, qu'il faudrait lui adapter un traitement. Klara a dit, « depuis six mois, je prends des choses comme ça, j'en demande partout où je passe, sinon je les vole, surtout de la C. J'ai perdu cinq dents, c'est affreux les dents, moi, c'est au fond, des grosses, et j'ai des trous dans les autres ». Alban a promis de s'en occuper dès le lendemain. Il a des copains dentistes. « Surtout, il va falloir manger un tout petit peu plus, Klara. » Elle a dit, « je ne peux pas, ça me dégoûte ». Alban n'a pas insisté, il a dit, « tu as tout ton temps, ça reviendra. Tu as bien fait de prendre des vitamines, tu as eu tout à fait raison ».

Alban était plus à l'aise que moi, sans doute avait-il des réflexes de médecin. Je ne sais pas s'il voyait Klara, s'il cherchait Klara. La représentation a été la malade, c'était, dans l'immédiat, plus pratique pour lui, moins douloureux. C'est du moins ce que je pense, mais nous n'avons pas eu le temps d'en parler.

Le dîner a été pénible, plein de silences et heureusement de la bonne volonté d'Alban. Klara a mangé une cuiller de purée, un tout petit bout de viande et un peu de pain gratté de pâté de foie, ni fromage, ni gâteau, ni confiture. Elle a bu du vin, deux grands verres.

Elle a sorti des cigarettes de sa poche – incroyable tout ce qu'elle a dans ses poches – et un briquet, un très beau briquet argenté, peut-être en argent. « Je l'ai volé à Praha. » Je pense, c'est le moment pour Rainer. J'y ai pensé tout le temps. Alban de son côté ne doit pas oser, ou bien il estime que c'est à moi de le faire ou que c'est déjà dit.

Moi : — (très vite) Tu ne me demandes pas des nouvelles de Rainer, Klara ?

Elle : — Il est mort, non ?

Moi : — (très vite) Oui, en juin l'an dernier... fusillé.

Elle : — Par qui ?

Moi : — Au maquis de Saint-Marc par la Gestapo... avec d'autres.

Elle : — Oh très bien...

Nous n'osons plus rien dire. Elle finit sa cigarette, en allume une autre, on lui en prend aussi Alban et moi. On ne bouge plus sur nos chaises. On attend. Elle dit, « je veux aller en Amérique... si ton frère avait été là, j'aurais demandé le divorce. Je serais partie quand même... seule... ».

Cela nous laisse sans voix. Les mots Amérique, divorce ont du mal à parvenir à ma conscience. Ils n'ont aucune réalité. Alban ne dit rien. Je balaye le cendrier avec ma cigarette, quoi dire... Le téléphone sonne. Alban va décrocher. Je sens une gêne, il se retourne. « C'est pour toi, Lika. Victoire veut te dire bonsoir. » Victoire fait plein de bisous dans l'appareil, je ne peux pas parler, finalement je dis des petites choses un peu naturelles et je raccroche. En y repensant, je crois que ce moment a été le plus délicat.

Klara fume consciencieusement en sirotant son vin.

Moi : — Et si Rainer était venu t'attendre au Lutétia ?

Elle : — Je ne sais pas. Je crois que je savais.

Moi : — Mais on ne sait jamais. Imagine, Klara.

Elle : — Je ne l'attendais pas. Je n'attendais pas qu'il m'attende... tel que je me souviens de lui, il a dû prendre des risques... ça, je crois que je l'ai toujours su... depuis qu'il est descendu dans le Sud pour trouver un passage... soi-disant...

Moi : — Mais il a cherché ! Souviens-toi comme il

a passé plusieurs fois la ligne à Châlon, rien que pour te rassurer, mais il n'a pas trouvé. Tu ne peux pas lui en vouloir, Klara !

Elle : — Ce que je sais, c'est qu'il a cherché l'héroïsme et qu'il l'a trouvé...

Moi : — Tu es dure, Klara.

Elle : — Non. Chacun son destin. Je ne vais pas pleurer sur un héros... la grâce d'être tué... il a eu de bonnes raisons pour mourir... tout le monde n'a pas cette chance...

Peut-être dans sa voix sans beaucoup de variation, y a-t-il eu un soupçon de hargne ? Je crois que j'ai entendu cela, en plus des mots.

Jeudi 2 août 1945 Henri-Martin

Je suis à la maison, les enfants dorment. On essaie d'équilibrer avec Agathe. Les petits sont contents d'être ensemble, c'est déjà ça. Klara ne demande pas à être seule, alors on s'organise. Si cela doit continuer, nous envisageons, avec Agathe, de confier les petits à ses parents pour une semaine. Il faudra alors les mettre au courant. Agathe dit qu'ils comprendront, qu'il n'y a pas à s'inquiéter, qu'Adrien doit aller à Barbery la semaine prochaine, que tout va s'arranger. Adrien devra savoir aussi. Cela me fait de la peine pour eux tous. Ils ont été si gentils pour nous.

Alban a été tout régler au Lutétia. Ce soir, il est rue Richer.

Klara est revenue, mais ne nous est pas rendue.
Klara est revenue, mais ne nous est pas revenue.

Une autre fois, j'ai voulu parler de Rainer et des circonstances. Elle a dit, « tu enfermes les morts dans un placard, tu fermes à clé et tu jettes la clé et encore oublie que tu l'as jetée et qu'il y avait un placard ».
Plus rien à dire.

J'ai aussi demandé pour les cheveux. Je ne supporte plus les cheveux, c'est ce qui m'a le plus révulsée, ces femmes avec leur masse de cheveux, les cheveux des femmes ici, elles portent des couronnes, de gros cheveux. Sur les routes, il y avait plein de réfugiés, des fugitifs plutôt, des femmes beaucoup, et les cheveux m'ont dégoûtée tout de suite. Là-bas, des femmes avaient aussi des cheveux, ils repoussaient, sauf pour les Juifs, on les recoupait. Au début, en 42, je n'ai vu que des crânes rasés. C'était une planète sans cheveux, une planète chauve. Imagine cela. Quand j'ai mieux regardé, j'ai vu des cheveux. Les rayées, avec un peu de temps, avaient des cheveux, pas longs mais un peu, les kapos, les chefs, les femmes nazies avaient des cheveux très soignés, par comparaison sans doute, une surtout, une fille splendide très jeune, une horrible salaude... des cheveux magnifiques. Cela m'a dégoûtée... peut-être que c'est elle, la salaude avec son fouet. Je les coupe moi-même. À Berlin, dans les éboulis, j'ai trouvé une tondeuse intacte. Je m'en sers très bien. Au début, j'ai raté. Maintenant, je coupe sans raser, sans faire mal.

Moi : — Tu l'as dans ta mallette ?

Elle : — Oui, dans ma valise.

Moi : — Elle est petite ta valise ! C'est pour les poupées. J'en avais une un peu comme celle-là pour les habits de ma poupée.

Elle : — Oui, moi aussi.

Moi : — Tu ne pouvais pas avoir grand-chose avec si petit...

Elle : — Oui, mais j'ai tout volé tous les jours quand j'avais besoin, les habits et le reste, j'ai seulement la tondeuse, des culottes et des petites choses, une brosse à dents, tout le reste je vole.

Moi : — Mais maintenant, tu n'as plus besoin, Klara, ce serait bête de te faire prendre.

Elle : — Impossible, je fais ça mieux qu'une Tzigane. Toi, tu as volé un nom, tu as été dégourdie... les honnêtes et les godiches meurent. Là-bas, ce que je savais faire, je ne l'ai plus su, et ce que je ne savais pas, je l'ai su. Le singe est mort. Alors, je vole. Je ne suis pas une belle figure de victime.

L'arrogance tranquille de Klara.

Vendredi 3 août 1945

Demain, je pars avec Adrien et les enfants à Barbery.
Alban et Agathe viendront dimanche, j'irai les chercher à Chantilly. Nous repartirons tous les trois lundi
matin sans les petits. Alban a décidé Klara pour des
examens approfondis à l'hôpital. C'est une doctoresse
qui les fera. Klara ne veut pas de médecin. Cette femme
viendra dormir ici dimanche soir. Klara l'intéresse, et
elle veut bien nous rendre ce service. Quand on a fait
cette proposition à Klara, elle a été tout de suite
d'accord et soulagée semble-t-il. On pensait qu'elle
pouvait rester à l'hôpital pour une nuit, mais elle ne
veut pas. Cela semble compliqué. Elle ne peut pas être
seule et ne veut pas être avec d'autres. Il lui faut des
gens tout près, mais pas trop. Elle a dit, « depuis là-bas,
je ne peux plus être seule tout à fait. Dans mon voyage,
il y a toujours eu des gens autour que je ne connaissais
pas, cela ne me dérange pas, au contraire. J'ai même
dormi dans des granges, mais il y avait des bêtes à côté.
Une fois, j'ai été vraiment seule. Je ne veux pas le
refaire. Je ne suis pas prête ».

J'ai préféré qu'on aille à Barbery avec les enfants,
je veux pouvoir expliquer et parler avec Antoine et
Adeline. J'estime qu'on le leur doit.
J'ai trouvé un beau châle pour Adeline et un petit
harmonica pour Antoine qui a égaré le sien. Les enfants

30

sont tout excités d'aller à la campagne. Nous en avons tous besoin.

Petit à petit, Klara parle d'Auschwitz. Pas à moi d'une manière directe. Alban m'a dit qu'à lui, elle avait raconté un peu, et que c'était horrible. Des expériences de médecins dont un certain Mendélé ou Menkélé, en tout cas une ordure, mais pas le seul.

Ce sont des bribes, elle ne dit pas en continu. Ce soir dans la cuisine avec moi, elle chipotait dans son assiette, et c'est venu comme ça, une de ces bribes, que j'appelle bribes, ce serait plutôt comme avec quelque chose avant et autre chose après, mais qu'elle ne ferait pas émerger pour nous. L'élocution n'est pas constante. Sa pensée doit l'être, c'est l'impression qu'elle donne.. Sa parole advient, on l'entend à un moment, c'est comme l'apparition d'un sous-marin, il était là, invisible, puis on le voit, puis il replonge.

Klara : — Il me semble que mon ombre est restée là-bas... et nos milliers de regards à accompagner la fumée, et le vent qui rabattait l'odeur, en pensant aux milliers de regards qui accompagneraient de la même manière, notre fumée et notre odeur... quelquefois, je me suis demandé si ce n'était pas moi la fumée qui montait... ça, c'était au début quand on brûlait dans les fosses... après... pourtant c'est cela qui reste... fumée, odeur... et pour savoir si j'avais un bras, je le touchais, et pour les jambes, et pour les pieds. Il fallait tout éprouver, tout vérifier, toujours. Tu vois, je suis morte, mais je ne sais pas porter le deuil. Je suis comme Peter Schlemiel, tu te souviens...

Un peu plus tard, en buvant du thé et en fumant.
— « J'ai des soupçons sur ma normalité. De là-bas, on ne revient pas. Mes amies étaient normales. Elles sont mortes. Je ne sais pas encore si je dois en tirer satisfaction ou une infinie méfiance, je veux dire d'être

31

là. Même si je suis revenue avec des sortes de bâtons en place des bras et des jambes... avoir vu son squelette... ce tour de force... ressusciter en trois mois, c'est plus fort que leur Christ en trois jours. Mais est-ce qu'on ressuscite... le corps oui, celui-là se débrouille, mais le reste... »

C'est la première fois qu'elle fait allusion à des amies. Est-ce qu'elle en parlera encore, et combien a-t-elle eu d'amies ? Ce soir, elle n'a rien dit de plus à leur sujet.

Autre bribe :

— « Un jour, un homme des commandos spéciaux a raconté au médecin tchèque qui me l'a redit... la veille, ils avaient réceptionné un convoi... quand ils ont ouvert les portes, personne n'est descendu. Imaginer... vingt-sept jours et nuits... entassés sans boire, sans manger. Imaginer... le conducteur du train était bien vivant. C'était encore un homme à l'arrivée. Comment comprendre... »

Plus tard encore, en fumant toujours. J'ai aussi beaucoup fumé.

Klara : Je me sens coupable de tous ces morts. Raisonnablement, on ne revient pas de l'enfer.

Un monde sans mots. Est-ce que tu comprends que ce monde-là n'avait pas de mots disponibles. C'était un autre pays où on utilisait des mots connus pour autre chose qui ne pouvait pas avoir de vocable précis, qui n'existait dans aucune langue, et pourtant là-bas, c'était Babel, mais je crois qu'aucune langue ne possède et ne possédera jamais le vocabulaire adéquat. Et eux, nos bourreaux, n'avaient pas non plus le vocabulaire adéquat puisqu'ils employaient des codes. Je le sais.

Comme le silence durait, j'en ai profité pour lui parler de ses bijoux. J'ai ramené la boîte cet après-midi de Trocadéro. Elle nous a donné du souci, personne n'en voulait, ni les parents d'Alban ni ceux d'Agathe, encore moins Agathe, les autres affaires de Klara, oui, mais pas les bijoux. On a fini par les garder nous-mêmes. Alban les a déposés en haut du placard de notre chambre derrière les draps comme les grand-mères. Je me souviens, il a dit, « allez zou ! on case la quincaillerie, on n'a qu'à se dire que c'est du toc, et on n'y pense plus ! »

C'est vrai qu'après on a eu bien d'autres choses en tête.

Il y a trois chaînes en or avec des gros maillons creux ovales pour l'une, et les deux autres avec des maillons « olive » avec des motifs en fil d'or à l'intérieur, un bracelet Van Cleef & Arpels magnifique composé de profils égyptiens et scarabées avec saphirs, rubis et émeraudes, deux paires de boucles d'oreilles Lacloche avec aussi des profils décorés de pierres précieuses et soulignés de baguettes d'onyx, des broches, épingles de cravate, boutons de manchette, bagues de toutes sortes. Sa mère lui avait tout donné, elle prévoyait une source de liquidités complémentaires pour sa fille.

Klara a tout de suite cherché et trouvé une bague qu'elle a essayée. Elle m'a expliqué que sa mère la mettait souvent, elle la tenait de sa propre grand-mère russe, l'arrière-grand-mère de Klara donc. Évidemment, aucun doigt ne convenait, sauf le pouce à la rigueur, mais c'est ridicule. Klara y tient cependant car elle l'a mise au majeur gauche. En bloquant un petit anneau dessous, peut-être tiendra-t-elle. J'ai dit qu'on pouvait sans doute la faire rétrécir, mais elle a dit, « on va tout vendre ».

Moi : — Tu pourrais la garder, le reste va sûrement faire pas mal d'argent, et il y a aussi ton appartement rue Lafayette, tu y as pensé ?

Elle : — C'est vrai. Non, j'avais oublié... il a été gardé...

Moi : — Oui. Le père d'Alban s'est débrouillé, il avait beaucoup de relations. Je ne sais pas exactement comment il a fait, mais l'appartement est fermé, les clés chez le notaire. Léandre s'est occupé de tout, on n'a pas eu d'ennui. Il acceptera sans doute de faire le nécessaire à nouveau si tu veux vendre...

Elle : — Oui, tu crois que c'est possible...

Moi : — On avait pris tous les papiers avec Agathe, on les a donnés à Léandre. Ils doivent être aussi chez le notaire je suppose. Comme tu es la seule propriétaire, il ne doit pas y avoir de problème. Ça prendra peut-être du temps.

Elle : — Combien tu crois...

Moi : — Mais je ne peux pas savoir, Klara ! Il faut que quelqu'un achète. Je ne sais pas si les gens achètent en ce moment, je n'ai aucune idée des affaires.

J'ai eu l'impression de retrouver ma Klara d'avant. Un peu, pas encore beaucoup, mais un peu sur la fin. Elle était presque timide, on dirait pleine d'espoir de vendre cet appartement. Cela m'a rappelé quand nous étions encore toutes petites au ski. Souvent, en haut d'une pente, elle me disait presque tout bas, « tu crois, Lika, que je peux ? » et sans prévenir, elle dévalait à toute allure. J'avais du mal à la rattraper et la dépasser parce que, quand même, la championne c'était moi, mais elle m'a souvent battue.

Alors, tout à l'heure, c'était peut-être cela son air timide. Elle n'en fera qu'à sa tête.

Ce que je sens aussi de presque certain c'est qu'elle ne reviendra pas sur sa décision de partir et de nous laisser Victoire.

On dirait que ce soir, des petites nuances soient apparues dans sa voix. Avant de se quitter, elle a dit, « c'était un convoi de Grecs ».

Samedi 4 août 1945 Barbery

C'est bon de se retrouver ici. Il est tard. Tout le monde dort. Victoire a voulu dormir avec moi. Elle est sur le lit en petite culotte et maillot tellement il fait chaud. Dommage que Klara ne la voie pas, elle est si belle notre Victoire. Elle a beaucoup grandi, mais elle reste potelée, toute blonde et frisée, pas facile à coiffer, mais si jolie. Tout l'après-midi avec Isidore, ils ont joué à l'eau dans la baignoire en zinc qu'Antoine a sortie. Ils ont crié, couru. Ce soir à neuf heures, ils dormaient à poings fermés. Nous avons dîné ensuite tous les cinq. On a parlé de Klara évidemment. Je crois qu'ils ont été heureux que je vienne expliquer et raconter le retour de Klara... et ses décisions bizarres.

Adrien était très curieux. Il posait des tas de questions. Je ne pouvais pas répondre à tout. Antoine a fini par lui dire que Klara n'avait pas fait un voyage d'étude, mais Adrien a dit qu'on entendait tellement de choses sur les camps, alors quelqu'un qui en revient, c'est forcément plus sûr. Adeline n'était pas d'accord. « Est-ce que tu sais tout, toi, sur la Résistance, et pourtant tu en étais. Klara doit savoir ce qu'elle peut sur Auschwitz, et peut-être même pas tout si c'était si grand. » Antoine a ajouté, « nous, en 14, on connaissait juste notre tranchée, on ne savait même pas que c'était la guerre 14/18. En face non plus probablement. C'est après qu'on l'a su ! » On a beaucoup ri. C'est si bon de rire. Ici, j'ai envie de rire.

Adeline était contente du châle. « On va pouvoir redevenir coquettes. » La réputation des Parisiennes n'est pas fausse parce que, même pendant les restrictions, elles ont trouvé les moyens de faire face. Je dois dire qu'avec Agathe, on a fait face aussi. C'est devenu un jeu d'arranger nos affaires et celles des enfants. Je crois qu'Adeline a hâte de retourner à Paris, la campagne lui pèse maintenant. À Antoine aussi. Il a dit que c'était la dernière récolte de « patates de pelouse ». Il va la faire refaire cet automne. Il a joué de l'harmonica pour les enfants cet après-midi, et ce soir au piano des petites pièces de Satie pour les calmer.

C'est fou ce qu'Adrien a changé. Quand nous l'avons connu en 38, il avait seize ans et n'avait pas fini de grandir. Il venait quelquefois dormir chez sa sœur et il participait à nos soirées chez Rainer et Klara. Il était déjà passionné par la politique. Il aimait faire des farces avec Rainer et Alban. C'étaient nos folles soirées avec d'incessants va-et-vient sur le palier entre les deux appartements. Nous avions vingt ans Klara et moi – nées en 18, les enfants d'éclopés et de permissionnaires, disait papa – Rainer vingt-six, Alban vingt-cinq, Agathe vingt-trois. Nous avons sept ans de plus, Klara des cheveux gris, Rainer aurait eu trente-trois ans avant-hier. Il me manque. Très fort. Terriblement. Mon grand frère.

Quand maman est morte en septembre 39, Rainer m'a confié ce qu'elle lui avait dit juste avant notre départ de Berlin. Depuis le début, Rainer était au courant de sa maladie. Maman lui montrait le résultat de ses examens et l'évolution du mal. Elle le formait encore à sa manière. C'était atroce pour lui, m'a dit

Rainer, mais elle lui apprenait le courage et le métier. La veille de notre départ, elle lui a dit que si la situation se dégradait, que son cancer évoluait comme elle imaginait qu'il évoluerait, elle avait prévu ce qu'il fallait pour que cela cesse, qu'il ne fallait pas lui en vouloir, mais que ce serait au moment où il ne s'agirait plus que de quelques mois, et qu'elle le saurait, et qu'en aucune manière elle n'accepterait la déchéance de sa maladie ni aucune autre, qu'il fallait surtout que Rainer nous protège Klara et moi le plus qu'il pouvait.

Elle avait gardé une petite clientèle privée, juste ce qu'il fallait pour vivre. Elle nous a tout donné pour qu'on puisse s'installer ici ou partir ailleurs. Elle y tenait.

Elle était restée le médecin de la mère de Klara. Elle a dit à Rainer, cette veille de notre départ, qu'elle proposerait aussi à Mme Adler ce qu'il fallait si elle le voulait, qu'elle était devenue encore un peu plus son amie depuis le mariage de Klara et Rainer, et que, dans les circonstances, c'était encore le meilleur cadeau à faire.

Quand nous avons appris la mort de Mme Adler en octobre 41, Rainer et moi avons pensé au poison, mais nous n'avons rien dit à Klara. À quoi bon... de plus, l'annonce de cette mort a été énigmatique pour le moins... deux lettres quasi anonymes adressées à Rainer, deux signatures semblables, mais illisibles, une annonçant la mort, l'autre le suicide. Nous n'avons pas compris. Rainer n'a montré qu'une lettre à Klara. Klara vénérait sa mère.

À table tout à l'heure, j'ai raconté une scène que j'ai vue au Lutétia au mois de mai.

En avril et en mai, j'ai été bénévole. Il fallait prendre les identités, les lieux de détention, la catégorie des gens, leur fournir des renseignements, des bons de transport selon leurs destinations, des bons de cigarettes, indiquer qui les attendait et où, si on le savait, etc. Je ne venais pas tous les jours pour ce service, mais j'étais là quand même pour attendre quand je savais qu'un groupe devait arriver, toujours le « on ne sait jamais », et je n'étais pas la seule à faire cette chose irrationnelle et fatigante de venir attendre et se désespérer. Tous les jours la déception au rendez-vous, tous les jours je repartais en me disant que je ne reviendrais pas, que ce n'était pas la peine, mais chaque fois, je revenais en dépit de tout. En attendant, il y avait à voir. On était comme à la loterie, les uns et les autres avec des photos. Certaines femmes étaient hystériques, d'autres très timides. Il y avait de tout, des gens pleins d'aplomb et ceux qui se font passer devant, bousculer. Il y a toujours ceux qui ont des pieds pour marcher sur ceux des autres qui eux en ont pour se les faire écraser. La même chose tout le temps. Ceux qui arrivaient étaient pleins de silence, éberlués, la plupart en mauvaise forme, certains sur des brancards qui étaient dirigés tout de suite vers les hôpitaux. À la Salpêtrière, Alban en a soigné un certain nombre. Il y en a qui sont morts dans les heures ou les jours qui ont suivi... ceux en bonne santé avaient l'air gênés, ils aidaient les autres et ne regardaient nulle part.

Un soir, il y avait encore beaucoup de monde et un groupe d'hommes est arrivé. Les femmes montraient leurs photos comme d'habitude. Un homme s'est détaché et est venu se planter devant une femme au premier rang.

J'étais sur le côté et j'ai tout vu.

Il a dit, « c'est moi, André ». La femme a baissé le bras avec la photo, elle le regardait sans réagir. Alors, lui, a dit une chose incroyable. « Ben quoi, Mariette, j'te dis qu'c'est moi André, t'es sourde ? » Mais il ne faisait pas un geste et elle non plus. Quoi, quelques secondes de silence et on imagine le roman. La petite femme toute seule à se battre peut-être pendant deux ans et qui ne s'en laisse plus conter. Elle met les mains à ses hanches et elle crie, « ah ben, j'aurais bien dû te r'connaître, t'as pas changé ! ». Alors, les femmes autour poussent la Mariette, et les copains poussent le copain, et presque une rumeur goguenarde, « non mais, ils ne vont quand même pas se disputer ces deux-là ! ». Et presque aussi des rires forcés pour les aider « ces deux-là », et la petite femme éclate en sanglots dans les bras de l'André qui enfouit sa tête dans les cheveux de sa compagne, et alors ils ont été seuls. Malgré l'anxiété de chacun, il y a eu comme un soupir de soulagement, un soupir collectif. En tout cas, moi j'ai soupiré. Et puis, d'autres se sont retrouvés aussi ce soir-là.

Adeline a dit, « ce doit être horrible quand on ne vous reconnaît pas ».

Pour moi, cet homme avait dans les quarante ans, mais peut-être n'en avait-il pas trente, sa femme semblait jeune aussi.

C'est vrai que sous la colère de cet André, perçait l'angoisse de n'être pas reconnu, comme un cri d'angoisse, mais c'est la colère qui est apparue. Il y a des gens qui n'ont pas grand choix d'expressions, ou qui ne veulent pas ou qui les ont perdues, et lui, cela a été la colère. Dans ces moments de tension forte, on passe facilement du drame au comique, de la rudesse à l'attendrissement.

Je revois. Comme si tout le monde avait pensé ensemble qu'il fallait les aider un peu. Pourtant, on peut dire que pendant ces heures d'attente, il y avait beaucoup de solitude, chacun avait sa souffrance, son désespoir, son espérance. Ce n'était pas joyeux comme à la Libération de Paris il y a un an. Agathe m'a raconté. Elle voulait absolument se défouler avec tout le monde, voir les soldats et entendre les cris et crier avec les autres. J'avais gardé les enfants. J'étais heureuse pour

Paris bien sûr, pour la France, mais pour moi la guerre n'était pas finie. Il y avait Rainer et son silence et l'incertitude quant à Klara. Et puis, l'Allemagne était pilonnée, je ne pouvais pas m'en réjouir. Agathe est revenue complètement sans voix. Si mon frère ne revient pas, m'a-t-elle dit, je serai inconsolable, alors je préfère me réjouir avant, peut-être pour la dernière fois.

En parlant l'autre jour, Klara a redit le nom de Pazuzu, et ce soir, j'ai demandé aux autres s'ils s'en souvenaient. Antoine a été chercher un carton avec tous nos dessins de Pazuzu. C'est Adrien qui avait appelé Hitler Pazuzu. Rainer nous parlait de la médecine de Babylone. Maman lui avait offert une sorte de lexique d'assyriologie, et Adrien avait surtout retenu Pazuzu le cruel, le complice des tempêtes qui se servait de ses ailes pour semer le mal partout, et Adrien avait dit, « ça c'est Hitler, on ne peut pas trouver mieux ! ». Donc, Pazuzu et un concours de dessins, à qui ferait le plus atroce des Pazuzu.

On a regardé ce soir. Il y en a de toutes sortes, grimaçants, hideux, noirs, en couleurs, avec des griffes, avec des palmes, avec des moustaches et sans, avec des mèches, avec des ailes immenses et pour Rainer, des ailes repliées sur un tout petit sexe « pour cacher ce qu'il n'a pas », disait-il. Nous étions pleins d'inventions enfantines pour juguler nos peurs.

En les revoyant, c'est ce qui apparaît. Nos dérisoires défoulements, comme lorsqu'on riait tellement des écrits antisémites, surtout de Céline. Rainer hurlait littéralement de rire, il disait, « pas un écrivain allemand n'est capable de ça ! » « Après, il a dit, peut-être un Juif allemand ! » Et on a ri de plus belle. Je me souviens. Seul, Alban nous trouvait horribles. « Vous devenez antisémites, c'est affreux. » On n'en pouvait plus de rire lorsqu'Alban nous trouvait tellement abominables et antisémites. Pourtant, un jour Klara a dit en parlant de Hitler, « le salaud ! on est en train de devenir juif ». Mais ce n'était pas cela, (est-ce qu'on devient juif sans le vouloir ? ou plutôt, par ces temps, la question est : si on le veut, peut-on ne pas l'être ?) c'est qu'instinctivement, on cherchait et on trouvait la parade de tous les persécutés. On riait.

C'était une autre façon d'exprimer ce que maman disait d'un air soucieux, « jusqu'où ira la bêtise de ce pays ? ».

Je me souviens, et on en a reparlé ce soir, on récitait des poèmes en français, anglais, russe, Klara pour le russe qu'elle parle sans accent comme nous le français. Ce sont nos langues de naissance. Ils m'ont rappelé ce soir que je les forçais à m'écouter chanter *Deutschland bleiche Mutter*, alors on ne riait plus, et Rainer disait, « Lika, tu nous emmerdes avec ton Brecht ! »

Quand j'y repense, oui, ce qu'on a pu rire à cette époque (en dépit de l'époque) de Pazuzu, des pamphlets de Céline, etc., jusqu'à ce que Klara se fasse recenser en décembre 41. C'était de la folie. C'est comme si tout à coup, elle s'était convertie au catholicisme, au judaïsme, au nazisme, quelque chose d'aberrant. Après, je n'ai plus été tranquille. Je ne le montrais pas, mais j'ai tout fait pour qu'elle change d'endroit, qu'elle parte. Elle pouvait habiter chez moi et moi chez elle. Agathe a proposé la même chose et ici aussi Antoine et Adeline. C'était un minimum de sécurité puisqu'elle ne voulait rien faire d'autre, et surtout ne pas changer de nom. Pourtant, cette solution aussi était possible. Rainer cherchait partout comme un fou, tous les deux voulaient partir. La seule chose sur laquelle on s'accordait, c'était de refuser le refuge chez Lisa de Tours. Aucun de nous trois ne voulait compromettre Lisa et ses trois enfants jeunes encore, et son mari, pas très fiable, on le sait maintenant. Et pourtant, elle a insisté notre chère Lisa, mais nous avons été fermes. Maman ne l'aurait pas voulu non plus.

Lisa chez nous à Berlin, Lisa et ses leçons bon enfant mais exigeantes (les dictées, la grammaire, les fables de La Fontaine, V. Hugo, Ronsard, Lamartine, etc.), sa fierté d'être tourangelle, « attention les enfants, je vous parle le français de Touraine » comme un millésime rare !

Il va falloir que je la mette au courant pour Klara et Victoire. Elle sait pour Rainer.

C'est à propos de Berlin que Klara a prononcé le nom de Pazuzu. Elle a dit, « si je n'avais pas aimé cette ville, j'aurais retrouvé le rire à Berlin parce que j'ai pensé tout de suite à Pazuzu. Il avait dit, vous ne reconnaîtrez plus l'Allemagne, on ne pouvait pas ne pas penser à lui à Berlin. Les Allemands ont bien fait de lui faire confiance, quand on voit Dresden, Berlin, Leipzig, Linz et toutes les autres villes en ruine, Hitler n'a pas menti, on ne reconnaît plus l'Allemagne. Mais je n'ai pas ri. Si j'avais eu encore des larmes, elles auraient coulé pour Berlin. Ce n'était pas un bombardement de guerre, mais un pilonnage, un lâcher de bombes pour l'expiation. L'Allemagne s'est purifiée de ses Juifs par le feu, l'Allemagne a été purifiée de ses nazis par le feu ».

J'ai dit, « tu le crois vraiment ? ». Elle, « non ».

Elle a dit aussi, « je n'ai pas subi les bombardements sur Berlin. J'y étais en juin, alors j'ai pu croire à une catastrophe naturelle, pas à la punition. J'ai cru au destin, pas au châtiment. Je n'étais pas là les jours de feu et de destruction, je suis arrivée dans les ruines et pour la pitié... ».

Moi : — Pour la pitié ?

Elle : — Oui, pour la pitié.

Plus tard, elle a dit, « il y avait de bonnes photos ». Elle m'a expliqué qu'elle avait retrouvé un appareil

– elle n'a pas dit volé – qu'il y avait une pellicule entamée et qu'elle l'avait terminée, qu'elle l'avait retirée et laissé l'appareil.

— « J'ai pu faire huit photos, le reste doit être de bons nazis gras. »

Je me demande ce qu'elle n'a pas fait à Berlin. Elle y est restée trois semaines, m'a-t-elle dit.

Lundi 6 août 1945 Henri-Martin

Je suis au salon chez nous.

Klara est dans notre chambre. Elle dort. Il est dix heures. Je vais vérifier tous les quarts d'heure, mais elle dort. Elle n'a pas bougé. Alban vient de téléphoner, il dit de ne pas m'inquiéter.

En tout cas, il s'est passé un événement bizarre cet après-midi. Nous dirons tragi-comique si rien ne devient grave comme l'assure Alban.

Nous sommes rentrés de Barbery tous les deux ce matin. Agathe va rester là-bas jusqu'à mercredi. Je crois qu'ils avaient à discuter à propos de son avenir professionnel. Agathe aimerait se lancer dans la création de modèles, mais son père peut l'aider dans le domaine de la décoration où il a de nombreuses et solides relations. Elle y aurait toutes ses chances selon Antoine car cela correspond à sa formation et à ses diplômes.

Moi, j'ai voulu garder ma journée pour reprendre un peu la maison ici et refaire des réserves, il me reste des tickets. Je devais retourner rue Richer dans la soirée pour passer la nuit. J'ai donc fait les magasins. Au retour, tout de suite le téléphone. J'ai tout plaqué dans l'entrée. C'était Alban. Il me dit qu'il arrive avec Klara, qu'il y a eu quelque chose, mais pas grave. Je crie au téléphone, mais lui, « rien, rien, Lika, elle dort, on va la mettre dans notre chambre ». J'entends qu'il rit presque, mais je ne comprends rien, bouffée d'angoisse, il me laisse en plan. Je ne sais pas combien de temps, assez pour que je pense des choses folles et leurs contraires. Je laisse la porte entrouverte pour guetter.

Cela me fait un choc. Alban en blouse blanche, Klara dans ses bras. Dès la porte, « t'inquiète pas, Lika, je te dis qu'elle dort ». C'est étrange, étrange le ton d'Alban qui dit cela et Klara comme morte. Heureusement, je suis clouée sur place. Je ne le suis même pas dans la chambre.

Dans le salon, Alban s'écroule dans un fauteuil avec un grand sourire.

— « Un vrai sac d'os ! On se prend un café, Lika, et je t'explique. Après, je repars. Ne sois pas bête. Si c'était grave, je ne l'aurais pas emmenée ici. L'hôpital n'est pas un dortoir, et je te dis qu'elle dort. Elle dort ! elle dort ! »

Il a l'air content et cela me rassure.

Donc, je reconstitue.

Si j'ai bien compris, on l'a appelé d'un café de la rue de Buci. Alban a demandé à un confrère de le remplacer. Depuis le début dans le service, ils connaissent tous le cas Klara. Alban dit qu'il a foncé. Quand il arrive avec sa blouse blanche et son attirail comme il l'appelle, il est attendu. On avait étendu Klara sur une banquette au fond du café. Alban croit tout de suite comme les autres qu'elle est évanouie. Il prend son pouls, l'ausculte au stéthoscope, et là évidemment, il se rend compte qu'elle dort à poings fermés, le pouls régulier, la respiration libre, quelqu'un de tout à fait normal qui dort. Il a même réussi à prendre sa tension en haut du bras. Elle n'a pas bronché, juste fait une grimace, m'a dit Alban. Tension basse, mais rien d'alarmant. Quand il donne ses conclusions aux gens du café, ils n'en reviennent pas. Ils lui racontent alors ce qu'ils savent.

Klara était à une table sur le devant près des vitres depuis pas mal de temps déjà. Un client est entré, il a vu Klara et se serait dirigé vers elle, il, lui aurait sans doute dit quelque chose, ils n'ont pas fait attention. C'est seulement quand elle s'est levée et qu'elle l'a giflé à toute volée qu'ils ont pris l'histoire en route. Elle l'a giflé de toutes ses forces, ils ont dit à Alban, « c'est que des os ce petit bout-là, mais fallait voir, l'autre a pissé le sang, il se défendait pas ce grand con ! ». Et la patronne a dit, « quand on a réagi, c'est moi qui a couru, sa manche était relevée et j'ai vu les numéros. On avait entendu parler des matricules, mais on n'avait jamais vu, de visu, jamais vu ».

Alban imite bien la patronne et cela le fait rire.

Ce qu'explique Alban, c'est que ce type aurait agressé Klara, la prenant pour une tondue. Je ne sais pas si Klara est au courant de ces événements lamentables de l'an dernier. Il n'y aurait pas eu besoin de l'arrêter, elle serait tombée sur la table puis sur le côté, toujours selon les gens du café. Dans un premier temps, elle a dû perdre connaissance, pense Alban, et quand ils l'ont transportée, peut-être serait-elle revenue à elle, puis se serait endormie d'un coup.

J'ai demandé si cet homme pouvait porter plainte, mais d'après le récit des gens, il aurait été plutôt honteux, le tatouage il a dû le voir aussi. Il s'est nettoyé et est parti en disant qu'il repasserait, donc pas de problème de ce côté. Alban a dit, « c'est un crétin ! voir des tondues maintenant, tu parles ! un an après ! en tout cas, il a pris nos numéros de téléphone pour avoir des nouvelles de notre boxeur ! ».

J'ai demandé aussi comment ils avaient eu le téléphone d'Alban. Il m'a avoué alors qu'il avait forcé Klara à l'avoir toujours dans sa poche avec celui d'ici, il a mis sur sa carte de visite « en cas de malaise, prévenir d'urgence Dr Naël et le nom du service... ». Klara aurait accepté. Quand elle est tombée, tout est peut-être sorti de sa poche avec les clés ou bien ils l'ont fouillée.

Cela me montre qu'Alban n'est pas aussi tranquille et qu'il a ses raisons. Nous aurons les résultats d'analyses mercredi.

Il m'a dit aussi qu'il me raconterait la rencontre de Klara et Fabienne. Elle n'est pas parvenue à l'examiner entièrement. Klara a refusé de se dévêtir du bas, si bien qu'on sait qu'elle pèse trente-huit kilos avec son pantalon et ses chaussures de montagne, pour un mètre soixante-huit, c'est peu. Même si les relations ont été difficiles, m'a dit Alban, Fabienne est épatée. Il est satisfait parce qu'il trouve que cette consœur est la bonne personne pour Klara. Elle est discrète et pleine d'autorité joviale. Si Klara accepte, c'est elle qui pourra faire l'intermédiaire médicale. Elle a réussi à lui faire boire du lait sucré !

Dimanche soir à Barbery, Alban a vu mon cahier sur la table de notre chambre. Il demande ce que c'est, et ensuite s'il peut lire. J'y consens volontiers. Ce sont des notes, cela ne me dérange en rien. Après, il dit une chose très drôle.

— « Je ne savais pas qu'on écrivait un journal avec autant de dialogues. C'est comme une histoire, ça me donne envie de connaître la suite. »

Franchement, je ne sais pas comment on écrit un journal, s'il y a même une manière d'en écrire. Les dialogues, c'est pour aller plus vite, une question pratique en quelque sorte. J'essaie d'être au plus juste en restituant la pensée en train de se dire. Je redonne ce que je peux ou ce que je veux. Comment savoir entre pouvoir et vouloir ?

Mardi 7 août 1945

Il est midi. Ils dorment tous les deux. Je n'ose pas faire de bruit. J'ai entendu Alban quand il est rentré. Il est venu dans la chambre. Avec une lampe, il a regardé Klara et m'a juste un peu caressé les cheveux. Il doit être dans la chambre du fond ou celle de Victoire. Je me suis étendue sur le lit avec Klara vers trois heures du matin. Tout à l'heure, elle dormait sur le côté. Cela doit faire maintenant dix-huit heures qu'elle dort. J'espère que c'est bien.

Alban m'a aussi raconté ce qui lui était arrivé quand il a expliqué aux autres la situation de Klara. Peut-être à cause de la tension depuis son retour ou de la crainte après le coup de téléphone, ou alors de la fatigue de plusieurs années déjà, eh bien il a eu un fou rire. Il a été très gêné... il essayait d'expliquer que depuis quinze jours Klara ne dormait pas presque, et que nous, pas beaucoup, et que là, d'un coup elle dormait, c'était trop comique de la voir ainsi comme un bébé, après ce qu'elle avait fait à ce type. Il avait mal au ventre pour arrêter ce fou rire. Il pensait à toute vitesse qu'après le coup de folie de Klara, les gens pouvaient le penser fou lui aussi, et qu'ils pouvaient être suspicieux à son égard, et même douter de sa profession. Cette appréhension l'a freiné, mais cela n'a pas été sans mal.

Sans qu'il me le dise, je sais qu'Alban n'a pas aimé ce fou rire. Peut-être qu'il l'inquiète.

En revenant hier de Barbery, nous avons parlé de Victoire. Dimanche, elle a fait des caprices et nous a tous usés. J'avais été avec les enfants chercher Agathe et Alban à la gare, et dès cet instant, elle n'a cessé de vouloir être sur les genoux d'Alban ou d'exiger qu'il joue. Il a fallu la gronder deux fois à table. Elle chahute jusqu'à ce qu'on l'écoute, et alors elle ne dit plus rien et court partout.

L'après-midi, nous étions sous le tilleul, Adrien a réussi à faire jouer Victoire avec Isidore pour les éloigner de la table. Le jeu de l'arrosoir a retenu Victoire, mais très vite elle est revenue vers nous. Sans se concerter, on ne parle pas de Klara devant elle. On ne peut pas. Cela a été difficile d'avoir une conversation en continu. Seulement au dîner, on a pu être tranquilles, mais avant, Victoire a fait toute une histoire pour dormir dans notre lit. Agathe et Alban ont été fermes. Agathe a dit, « Malika et Palan font les amoureux ce soir, alors vous, vous dormez dans ma chambre ». Mais Victoire voulait aussi faire les amoureux avec nous, et Isidore a dit avec sa grosse voix qui nous fait tant rire, « moi, je fais les amoureux aussi ». J'avoue que cela me rend malade de gronder Victoire, mais on ne peut pas la laisser ainsi. Elle est malheureuse on le sent bien parce qu'elle rit nerveusement, elle crie plus que d'habitude, elle a un ton geignard. Pendant qu'on les faisait dîner tous les deux à la cuisine, elle a dit sur un ton de défi, « d'abord, Isidore c'est mon petit frère à moi, pas à vous ». Très sérieuse. Mais Isidore doit être malin parce qu'il a dit sur le même ton, « oui, et Victoire est ma petite sœur, pas à vous ». Jusqu'à présent, il se débrouille remarquablement pour ne pas être mangé par Victoire. Quand elle veut le dominer, il établit une complicité et cela désarçonne Victoire. Elle a dit aussi,

« Victoire n'est pas méchante », ce qui montre qu'elle n'est pas tranquille. On a dit, tu n'es pas méchante, mais chipie. Elle veut bien chipie, c'est moins grave.

C'est vrai qu'elle ne nous voit plus beaucoup ensemble. Dimanche était la première fois depuis le retour de Klara. Elle est inquiète tout simplement.

Il nous faut trouver une explication qu'elle puisse comprendre. Nous devrions aussi envisager une grande discussion avec Klara pour savoir exactement ce qu'elle veut. Alban trouve que c'est trop tôt. Moi aussi.

Jeudi 9 août 1945

Klara a dormi vingt-deux ou vingt-trois heures d'affilée. Réveillée vers trois heures mardi après-midi. J'étais juste dans la chambre à ce moment-là. Je cherchais des affaires dans la commode. Je ne me suis pas retournée, j'ai tout vu dans la glace. C'est peut-être le tiroir.

Elle a roulé sur le dos, elle fermait les yeux. J'ai dit très doucement Klara, Klara. Elle a remonté les jambes, puis à nouveau étendu, relevé les bras sur l'oreiller, j'ai distingué son tatouage pour la première fois, elle fermait toujours les yeux, je n'ai pas bougé. J'ai attendu jusqu'à ce qu'elle dise, ich bin hungrig. Je me suis retournée vers elle, tu dors Klara ? elle a dit ja, et de nouveau ich bin hungrig. Je me suis assise de l'autre côté du lit, elle fermait toujours les yeux.

« Tu dors ? » J'ai mieux regardé son tatouage, j'avais une boule dans la gorge. C'est atroce. J'en ai pris conscience là, tout près d'elle qui se réveillait. Elle sentait fort la transpiration... elle a ouvert un peu les yeux puis refermé, je n'osais pas la toucher. J'aurais voulu lui mettre un peu de musique pour la réveiller en douceur, alors j'ai fredonné tout bas. J'ai vu qu'elle écoutait. Alors, j'ai dit, « tu as faim Klara ? ». Elle, « j'ai parlé allemand ». J'ai dit oui, un peu. Elle, « il faut oublier... oui j'ai faim... un peu ». Moi, « tu as envie de quoi ? » Elle, « du café avec du lait, du pain et du beurre ». Moi, « formidable Klara ! et tu veux la salle

51

de bains avant ? » Elle, « oui, un bain ». Moi, « j'espère qu'il reste de l'eau chaude, Alban vient de prendre une douche ». Elle, « c'est pas grave ».

J'ai prévenu Alban qui sortait de la douche. On a fait couler de l'eau dans la baignoire, j'ai mis une grande bassine à chauffer pour compléter, l'eau était trop tiède.

Klara a fait son apparition au moins une demi-heure après. On avait tout préparé. Heureusement, Adeline m'avait donné du beurre et trois pots de confiture de prunes. Elle est entrée avec ses chaussures à la main, elle avait un air comique. Il y avait comme un sourire sur son visage. Cela voulait être un sourire sans doute, mais c'est devenu un rictus finalement, et une chose nouvelle comme un gargouillis bizarre dans la gorge quand elle a dit, « ch'ai dormi, cette fieille cuenille afait pessoin... ». Peut-être était-ce un rire, mais ce n'était pas un rire connu. Tout juste un larynx qui se souvient.

Je lui ai proposé des vêtements propres, elle, « une culotte, des chaussettes et un pull-over ». Elle n'a pas voulu de mes pantalons, elle veut garder le sien.

On a entendu le clac du verrou de la salle de bains. À travers la porte, Alban, « Klara, on n'entre pas, mais je préfère que tu ne fermes pas à clé, tu comprends ? ». Silence, puis Alban a entendu, « merde ».

Elle n'a pas ouvert.

Je me suis souvenue, les premiers jours elle m'avait dit, là-bas, la pudeur, il a fallu s'asseoir dessus, alors pouvoir fermer le water-closet, closed water-closet, tout to close.

Un peu plus tard, j'ai été lui dire, « Klara, tu te sers de mon parfum si tu veux... ». Silence, puis, « je pue ? ». Agressif. Moi, un peu énervée, d'un coup énervée, « oui, tu pues, Klara, mais fais ce que tu veux ». Alban me dit, « du calme, Lika ! » et comme pour se persuader lui-même, « calmons-nous, calmons-nous... ».

En attendant Klara dans la cuisine, Alban me raconte

un peu l'examen avec Fabienne. Après la pesée approximative, elle aurait dit, « ce n'est pas possible un poids pareil ! vous devez manger, Klara ! rien ne vous empêche, sinon vous ne vous en sortirez pas, et puis vous êtes jeune, ce n'est pas esthétique, un peu de rondeurs ne vous irait pas mal ! ».

Alban commente, « elle y va un peu rudement Fabienne, mais ce n'est peut-être pas plus mal, et elle, elle peut le faire... ».

Klara alors aurait dit, « qu'est-ce que vous en savez... mais vous, vous êtes une grosse vache ». Je fais répéter Alban. C'est bien ça, elle a dit vous êtes une grosse vache. Fabienne aurait éclaté de rire. Alban me signale que sa consœur est plutôt une petite bonne femme d'une quarantaine d'années, pas grosse du tout. En définitive, elles se sont bien plu selon cette dame, d'où le lait sucré le soir que Klara aurait accepté. En le racontant à Alban, elle en riait encore, et elle a dit qu'en y repensant, elle s'était demandé si ce n'était pas un compliment, comme une sorte de vocabulaire spécial des camps.

Et aussi, Klara n'aurait plus de règles, semble-t-il depuis Drancy, donc depuis 42, mais en fait depuis avant la conception de Victoire puisqu'un mois après la naissance, elle n'avait pas retrouvé le cycle normal. Mais cela, Alban ne me l'apprend pas, parce que Klara me l'avait dit à sa façon.

— « Au moins là-bas, ils n'auront pas eu ce sang-là. »

Très dégagée, elle m'avait expliqué combien c'était pratique de vivre sans, que cela lui convenait parfaitement, je me souviens, elle me parlait de la dysenterie, des choses pénibles que j'ai du mal à écrire tellement c'est épouvantable et incroyable.

— « Les Français disaient chiasse. C'était bien comme mot, chiasse.

(Bauchfluss n'est pas mal non plus.) On en avait partout, et pas d'eau, et pas de rechange. Ces nazis sont des gens sales. Ils sont propres à condition que les autres soient sales. Personne ne peut être propre dans ces circonstances, même les animaux ne le supportent pas, ils se lèchent. Comment nous on pouvait faire. Alors du sang par-dessus imagine, non c'est bien comme ça. »

Nous avons mangé avec Klara imperturbable et la tête mouillée. Elle a mis du parfum, celui d'Alban...

Alban : — Ben dis donc, Klarinette, pour du dodo, c'est du dodo !

Klara : — Combien ?

Moi : — Vingt-deux ou vingt-trois, ça dépend quand tu as commencé.

Elle : — Oui et pas de cauchemar. Je suis arrivée ici comment ?

Alban : — Avec moi, Klara.

On renonce vite au ton léger, Alban a dû lâcher la klarinette !

Moi : — On peut savoir ce qui s'est passé ? Tu te souviens ?

Elle : — Oui. Tout à l'heure, j'ai pu revoir. Une espèce de grand type qui est venu à ma table. Il m'a dit, « alors ma poulette, on a pris du bon temps ? ». Il a voulu me toucher la tête. J'ai vu comme quelque chose de rouge, et je l'ai cogné, avec le poing et avec la bague. Ça a saigné, j'ai vu. Après, je ne sais plus...

Moi : — Pas de gifles alors, des coups de poing ?

Elle : — Oui le poing, mais j'ai perdu la bague.

Alban se rue dans la salle de bains et revient avec la bague. Il l'avait laissée dans les poches de son pantalon avec tout le reste au linge sale.

Klara la remet. C'est la bague carrée avec les six petits diamants pointus. On comprend que ça saigne ! Elle n'est pas jolie à mon goût, mais efficace !

Moi : — Et maintenant, tu te sens mieux ? Cela fait du bien, non ?

Elle : — Oui, mais j'ai mal partout.

Alban : — C'est normal, une vingtaine d'heures sans bouger, et tu n'as rien pour amortir, alors c'est normal. Demain tu iras mieux.

Il n'y a rien d'autre à dire sur la rue de Buci. On change de sujet.

Alban : — Et alors, avec Fabienne ça s'est bien passé ?

Elle : — Elle t'a raconté.

Alban : — Oui un peu... tu traites ma copine de grosse vache ?

Elle a son gargouillis, comme lorsqu'elle est sortie de la chambre avec ses chaussures à la main.

Klara : — Là-bas, elle aurait été une bonne blockova.

Nous, avec point d'interrogation sur nos visages.

Elle : — C'est la cheftesse du bloc, blockova en polonais, la chef. Mon amie de Praha était blockova, une bonne blockova, comme ta copine. Rare. Pour être bon chef, c'est rare. Mon amie de Praha était pareille...

Moi : — ... elle est où ?...

Elle : — Morte.

Silence.

Moi : — Et tes autres amies ? Tu m'as dit l'autre jour que tu avais eu plusieurs...

Elle : — Trois. Trois amies. J'ai eu trois amies. L'amie de Praha, photographe comme moi, l'amie de Linz la plus jeune, étudiante pour le droit, et l'amie de Krakow, infirmière... pas infirmière, elle aidait pour les enfants à naître.

Alban : — Sage-femme.

Elle : — Oui, sage-femme. Elle a tué plusieurs enfants...

Nous, silence. Alban commence à remuer sur sa chaise, il se frotte les yeux avec le plat des mains.

Klara : — Elle a fait des piqûres quand elle avait du produit, sinon elle étouffait... pour sauver la mère... aucune... personne n'est revenu avec un bébé de là-bas... jamais... l'amie polonaise a fait ça. Elle voulait toujours se tuer après, elle voulait courir aux barbelés... c'est le typhus qui l'a fait, qui l'a tuée. Hiver 44.

Nous, silence. Plus tard.

Moi : — Et l'autre amie de Linz ?
Elle : — La petite oui. La plus jeune... vingt ans... hiver 44 aussi... morte. C'est le typhus et moi.

Nous, silence. On la regarde.

Klara : — J'ai tué plusieurs fois... une salaude, une horrible salaude... elle est morte très accidentellement... on a fait un très bon accident...

Et le rire-gargouillis.

Moi : — Tu l'as tuée ?
Elle : — Si peu. On était plusieurs, une partie de plaisir, on l'a fait en riant, une bonne blague... Plusieurs fois j'ai tué, cette fois en participation et dans le contentement, une autre fois... seule et dans la douleur... la petite de Linz... une question de jours ou d'heures... elle m'avait demandé... supplié... j'avais promis... je n'ai pas eu le choix des moyens...

Nous, silence. Et parce qu'il faut aller au bout.

Alban : — Comment ?
Klara : — (Elle met les mains à son cou.) Étouffée.

C'est à son tour de nous regarder et sans doute que nos têtes sont stupides ou effrayées, je ne sais pas. Ce que je sais, c'est que je suis là, à ne penser rien, à ne pas oser penser. Ses grands yeux sur nous, gris, gris-bleu, tranquilles et froids.

Il y a son ersatz de rire rauque. Elle dit, « si vous voyiez vos têtes » et d'un ton presque léger, avec un soupir, « c'est fou ce qu'un squelette est lent à mourir ».

Nous, silence. On attend. On sent tous les deux qu'elle veut parler. Elle comprend qu'on est prêts à l'entendre. Il faut entendre. Tout ce qu'elle voudra dire, il faudra l'entendre. Elle prend son temps.

Klara : — ... je n'ai plus de larmes pour vous dire que mes trois amies n'ont pas tenu le coup... mes amies normales... elles sont mortes toutes les trois, je les ai perdues toutes les trois, hiver 44, début 44, février je crois. J'ai tout fait pour les sauver chacune, l'une après l'autre, je me suis épuisée... j'ai volé, menti, me suis battu, physiquement battu, j'ai risqué, exactement comme toi, comme vous, comme vous auriez fait, comme elles auraient fait, des choses folles, dérisoires, mais là-bas folles, téméraires, je ne me vante pas...

Après, non. Après, j'ai été aidée aussi, j'ai aidé encore, mais je n'ai plus été généreuse, plus assez, plus jamais assez... j'ai fait attention, j'ai calculé mes services, oui je peux bien le dire, et surtout je n'ai plus voulu d'amies, j'ai refusé, et de plus en plus... tout, tout par calcul, pour durer, j'ai mesuré mon aide en fonction de ce qu'elle me rapportait en retour, j'arrivais encore à prévoir plusieurs coups d'avance comme aux échecs, à la fin, non, j'étais trop usée, l'esprit est du coton, comment dire... c'est du brouillard, alors le hasard, la chance ont plus d'importance, c'est tout. Rien de glorieux. Il n'y a d'ailleurs rien eu de glorieux jamais pour moi après la mort de mes amies. Rien que la besogne journalière pour durer. Dans une autre vie, on dirait ignominie, mais je n'ai pas de remords, comme je n'ai eu aucun scrupule... avec le peu d'intelligence qui me restait et la vigilance de la bête, seulement cela...

Nous, silence. Plus tard.

Moi : — Et leurs noms ?
Elle : — ?
Moi : — Leurs prénoms... tes amies...
Elle : — Des jolis prénoms toutes les trois.
Rien, nous l'avons compris, ne lui aurait fait dire ces prénoms.
Moi : — Tu ne veux pas les dire, c'est ça ?
Elle : — Oui, c'est ça. Elles n'ont pas eu de sépulture. Avec moi, disparaîtront leurs noms. Leurs noms mourront quand je mourrai... mon voyage, c'est en partie pour elles que je l'ai fait. J'ai été à Krakow, à Praha, à Linz et dans toute l'Allemagne pour moi qui suis autant morte... survivante on a dit... sous-vivante c'est mieux... il faut penser aux mots... sous-vivante, c'est juste... j'ai regardé le ciel au-dessus de Krakow, au-dessus de Praha, au-dessus de Linz en pensant à elles. Trois funérailles que j'ai officiées toute seule... leur souvenir dans ma pensée a été leur cercueil... je contiens leurs noms et je suis leur monument... voilà.

Toutes ces pages ont été dures à écrire. Mais à vivre...

Puisqu'elle a fait tout cela, vécu, subi, on lui doit de l'écouter, sinon comprendre. C'est ce qu'elle veut. Cette violence qu'elle nous fait, sans doute ne le sait-elle pas. À moins que ce ne soit une garantie pour son équilibre futur. Sans doute a-t-elle acquis un instinct très sûr de ce qu'il faut faire pour durer, comme elle dit, dans n'importe quelle circonstance.

Après, nous avons été au Champ-de-Mars pour nous aérer. Alban et moi étions assommés. Dans la soirée, nous l'avons reconduite en voiture rue Richer. Elle nous a persuadés qu'elle pouvait rester seule cette nuit-là, qu'elle ne dormirait pas. On lui a fait promettre de prendre un taxi et de revenir à la maison si quelque chose n'allait pas. Tout a été bien. Alban et moi avons pu être seuls le soir. On a beaucoup parlé. Il m'a appris pour le Japon, bombe atomique lundi sur une ville, des milliers de morts en quelques secondes. Horrible. Il faut que j'écoute la radio.

Samedi 11 août 1945

La ville était Irochima : Avant hier, une bombe atomique sur Nagasaki, ça n'en finit pas. Des centaines de milliers de morts dans chacune de ces villes, des civils naturellement. En quelques secondes. Le Japon aurait capitulé, alors pourquoi, pourquoi encore des morts ? Et on ne sait rien des conséquences. Tout à l'heure, au téléphone, Alban me disait son horreur. On ne sait pas quelles seront les séquelles pour les vivants, et même, me disait-il, sur les enfants à venir dont les parents auraient été touchés. Et pour combien d'années ou dizaines d'années ?

Je suis retournée au café pour les remercier de leur gentillesse. Je leur ai dit que Klara avait dormi vingt heures d'affilée. La dame répétait, « c'est pas croyable, c'est pas croyable ! pauvre petite dame ». Je leur ai offert un des pots de confiture de prunes que m'a donné Adeline. Ils étaient contents.

J'étais au comptoir, le garçon est allé trouver un client à une table près de la vitre. Il lui a dit quelque chose et il est revenu avec lui au comptoir. C'était le punching-ball de Klara. « C'est moi le fautif, Jérôme Legris, je ne sais pas comment faire. Vous êtes une amie de la petite dame. » J'avais envie de rire parce qu'il avait un coquard à l'œil droit et puis j'ai ri carrément en lui disant que Klara, décidément, n'y avait pas été de main-morte. Cela a détendu l'atmosphère. J'ai dit, « elle a fait des dégâts ! ». « Oh ! ce n'est pas grave, je ne l'ai pas volé... elle est tournée un peu maboule, non ? » J'ai dit, « oui et non, sans doute que non, elle a ses raisons, on ne peut pas juger aussi vite, vingt-neuf mois de camp, on ne peut pas savoir ».

Ils ont eu l'air d'accord, cela semblait les toucher beaucoup.

« On apprend tous les jours, a dit le patron, j'aurais pas cru autant. On en a vu pourtant de drôles ici, mais des petits squelettes enragés comme ça, jamais ! »

Apparemment, les mots de petit squelette leur plaisent bien. C'est dit sans méchanceté, plutôt avec une nuance d'admiration et d'amusement. J'ai cru comprendre qu'eux aussi, en voyant Klara, avaient pensé à une femme tondue ici, (aussi idiots que l'autre) alors ils en rajoutent peut-être. Je le soupçonne parce qu'à un moment, le garçon a dit au jeune homme, « bon, t'as dit une connerie, mais ça aurait pu nous arriver à nous aussi, tu pouvais pas savoir ». Mais le jeune homme n'en démordait pas. Il disait, « oui, mais c'est moi qui l'ai ouverte ma grande gueule, hein, c'est pas toi, il a fallu que ça tombe sur moi ».

Je trouvais qu'il en faisait beaucoup. J'ai dit, « bon, mais Klara n'est pas morte, cela lui a même permis de dormir vingt-deux heures, c'est plutôt bien pour elle. De toute manière, si elle avait été une femme tondue, ce n'était pas malin de toute façon. Ce qu'on a fait aux femmes ici est atroce. Laissez-moi vous dire que je ne suis pas d'accord, et je préfère ne pas continuer à discuter sur ce sujet parce que je suis droitière, et moi, je ne suis pas un petit squelette alors... ». Ils ont tous dit, n'en parlons plus, ce n'est pas la peine, chacun ses opinions, on ne va pas se battre pour ça, ça suffit des cinq années qu'on a passées.

Avant qu'il ne vienne au comptoir, la patronne a dit, comme pour l'excuser, que le jeune homme avait été au S.T.O., et qu'à son retour sa fiancée l'aurait plaqué, cela expliquerait, d'après elle, qu'il aurait agressé Klara sans réfléchir.

Mais peut-être que ce type était volontaire pour aller en Allemagne. Tous ces gens qui mentent, d'autant plus féroces qu'ils ont été lâches.

Je suis soulagée, comme si cet acte me délivrait d'une peur, quelque chose que je craignais, je ne savais pas quoi au juste. Maintenant, je sais. Cette crainte depuis le début, c'était cela : si elle n'avait pas cogné ce type, c'est moi qu'elle aurait frappée.

La ville bombardée du Japon s'écrit Hiroshima.

Hier, nous sommes allés déjeuner à Barbery avec Agathe.

Les petits restent là-bas encore quinze jours. Adrien s'en occupe. Ils sont superbes tous les deux. Victoire est moins capricieuse, elle a été très mignonne jusqu'à notre départ et n'a pas demandé à revenir avec nous. Il faut dire que Barbery est un petit paradis pour les enfants.

Agathe ne m'avait rien dit, mais Antoine nous a demandé si cela serait possible pour lui de racheter l'appartement de Klara pour Agathe. Son propre appartement n'est pas à vendre, mais elle pourrait utiliser l'un ou l'autre des lieux pour son activité professionnelle, un cabinet d'architecte en quelque sorte. Ce serait bien qu'Antoine et Léandre se rencontrent chez le notaire et fassent des propositions à Klara. Alban a téléphoné à son père à ce sujet. Léandre est tout heureux de s'occuper de tout, y compris de trouver un financement pour Antoine qui doit vendre une ferme pour acheter l'appartement.

Klara a dit que tout lui convenait, qu'avec les bijoux ce serait déjà bien, et que pour le logement, il fallait demander un petit prix, qu'elle n'aurait pas besoin de beaucoup.

Je pense qu'elle n'a pas une grande notion de ce qu'il lui faut exactement. Enfin, peu importe, de ce côté, la situation n'est pas dramatique. Pour l'instant, nous faisons face aux dépenses de Klara, et c'est très bien ainsi. D'ailleurs, elle ne veut rien d'extraordinaire. Elle refuse l'achat de vêtements, elle ajuste accepté deux de mes pantalons de montagne qu'Agathe a retouchés sur mes indications. Il a fallu reprendre largement à la ceinture. Elle s'habille toujours chaudement avec des chaussettes et ses grosses chaussures. Pourtant, elle a souvent froid, en dépit de la chaleur qui parfois nous incommode.

On s'habitue à son allure. Ses cheveux repoussent un peu. Elle ne les a pas recoupés jusqu'à présent, mais ils ne frisent plus, ils sont tout raides, courts encore et raides.

J'ai finalement dit à Klara que j'écrivais pour tenter de faire le point. J'étais curieuse de ses réactions. J'avais imaginé tout et son contraire. Néanmoins, j'ai été surprise de la sentir intéressée. Je me suis alors enhardie en lui demandant de lui relire parfois des fragments pour vérifier ce qu'elle avait dit ou voulu dire. Elle m'a répondu qu'on pourrait essayer. J'ai été peut-être un peu trop rapide car, depuis cette proposition, je n'ai plus du tout envie.

Ce soir, elle m'a dit, « j'ai eu de la chance que presque jamais la colère ne m'a quittée. La colère toujours ou presque toujours et toujours au bon moment des sursauts qui font réagir vite. Certains sont faits pour le oui et d'autres pour le non ».

J'ai dit bêtement, « tu as dit oui à la vie ».

— Je n'ai pas dit oui, j'ai dit non à tout. C'était peut-être un oui comme tu le dis, mais je l'ai pensé non, c'est sans doute ce qui me convenait le mieux. Avec un oui, je serais morte, physiquement morte. J'ai toujours dit non. Seuls, les anges disent oui et puis les idiots...

— Mais tu t'es fait prendre, tu aurais pu l'éviter.

— C'est vrai, et cela m'a guérie de tout oui à venir. Depuis, je n'ai plus jamais pensé oui. Mais si les négations sont aussi des affirmations, il n'empêche, tout change de les penser en non.

— Pourquoi as-tu été au recensement ?

— La déportation n'était pas comprise dans mon acte d'aller au recensement. Par fidélité à ma mère. Je n'ai pas pris en compte les lois, les événements du moment. Juste une chose, me rapprocher de ma mère morte. Faire ce qu'elle aurait fait parce qu'elle était légaliste jusqu'à la bêtise, et que moi, j'ai été légaliste jusqu'à la bêtise. Cela n'impliquait pas ma propre mort. Qui peut croire à la mort à vingt-trois ans, tu y croyais ?

— Oui. Toujours j'ai cru à la mort, à une mort possible pour moi, une possibilité, même si, comme tu le dis, on n'y croit pas vraiment.

— Donc, tu y as cru, toi.

— Oui. Sinon, pourquoi un autre nom et de vrais faux papiers ?

— Toi, tu as cru à la mort, moi je n'y croyais, n'y pouvais croire. Ce serait nos seules différences...

— Je ne sais pas.

— À dire vrai, affirmer que c'est en référence à ma mère, je ne peux pas le prouver, c'est quelque chose que je dis pour donner une raison à un acte qui n'en a peut-être pas, et une raison mensongère est toujours une raison. Mais peut-être que des actes existent sans aucune raison, purement sans raison. Est-ce qu'il faut des raisons ? Un acte imbécile a-t-il des raisons, une raison, un ensemble de raisons, alors s'il y a des raisons à tout, il faudra trouver les raisons à l'horreur vécue dans les camps, il faudra les trouver, sinon comment demander raison individuellement pour les actes absurdes de chaque individu ? Si personne ne peut répondre aux pourquoi des camps, chaque être est justifié de tous ses actes, même les plus meurtriers. Si on ne répond pas, le monde est en danger.

— Tu crois qu'on trouvera les raisons ? parce qu'il n'y en a pas qu'une, c'est impossible.

— Je ne comprends toujours pas ce qui m'est arrivé, ni pourquoi ni même comment. Le grand pourquoi appartient aux autres, le comment, ou le petit pourquoi, j'en suis aussi responsable, comme tu le dis, la bêtise de s'être laissé prendre de cette façon, cela multiplié par le nombre qui a été pris de la même façon, c'est cela l'interrogation première, celle à laquelle je peux répondre un jour, mais le pourquoi global reste aux historiens, la réponse globale. Mais pour chacune des personnes arrêtées et tuées, il n'y a aucune cause se rapportant à elle-même. Aucune. Les réponses globales ne m'intéressent pas. J'ai été suffisamment humiliée d'être poisson de la multitude, alors, j'escamote cette question. Je veux n'être plus qu'un poisson unique dans le filet, savoir comment et pourquoi j'y entre. Désormais, je veux savoir le maximum de tous les pourquoi de ma vie, et ne plus dépendre de la folie d'un caporal, de l'idiotie d'un peuple, et de tous ces mots comme Drapeau, Nations, Guerre, Histoire. Plus jamais. Maintenant, je m'échapperai à temps.

Plus tard, Klara a tourné autour de cet étonnement toujours intact de ce qu'elle a vécu. Je retranscris approximativement.

— Le nombre de gens ordinaires, c'est ce qui m'a frappé, des gens ordinaires, je veux dire, le monde entier de ceux qui ne vont jamais en prison, comme évidemment les enfants, les vieillards qui ne vont pas en prison, les couples de petits vieux, les mères à l'enfant, les mères aux enfants, les hommes tranquilles. Tout de suite, j'ai pensé, je me souviens très bien sur la rampe, les voyous ont emprisonné le monde. Je n'ai jamais vu autant de gens ordinaires, comme dans les rues pleines les soirs de Noël, des gens ordinaires qu'on ne connaît pas, qu'on ne connaît pas, sinon ils ne seraient pas ordinaires. Si j'avais connu chacun, aucun n'aurait été ordinaire, et chacun pouvait le dire. Personne n'avait souvenir d'un aussi grand malheur, d'une aussi grande cruauté, d'une aussi grande ampleur de cruauté, personne n'avait entendu dire ou lu quelque chose qui se rapprocherait de ça, alors tout le monde s'est conduit ordinairement. La seule différence, c'est que tout était un peu plus, une question de degré, mais dans l'ordinaire. Il n'y a, dans cette histoire, que les bourreaux qui étaient extraordinaires, pas ceux des bureaux, mais les petits, la racaille, mais nous, non, tout à fait ordinaires, avec des préoccupations ordinaires, et même ceux pour qui les préoccupations ordinaires n'étaient pas leur préoccupation, sont devenus ordinaires avec des préoccupations ordinaires justement, et c'est peut-être l'extraordinaire de cette vie de ne se préoccuper plus que de pain, d'eau, de chaussures, de lainages, un peu de sommeil, rien d'autre. Toutes nos références en dessous de la réalité ou à côté, en tout cas rien ne servait pour cette vie, rien, seulement soi, tout seul à faire face, tout seul à mourir seul.

— On meurt toujours seul.

— Oui, mais là-bas c'était plus seul parce qu'il y avait l'abjection... tu ne sais pas ce que c'est...

Silence... long silence...

— Je n'ai rien appris à Oswiecim sinon que je suis plus forte que je ne l'aurais imaginé.

— C'est beaucoup de le savoir...

— J'aurais pu le savoir autrement, ce que j'ai vécu n'était pas obligatoire. On peut se dispenser de la manière forte...

Après la sélection de nous tous ordinaires, l'humanité de chacun est exacerbée. On est plus ceci, plus cela. Là-bas, on est plus lâche, plus veule, plus dynamique, plus idiot, plus passif, plus charitable, plus âpre, plus inventif, plus fort ou plus faible. C'est le domaine du non et du plus.

— Et toi, tu étais quoi ?

— Plus tout, selon les jours, selon mon état, selon la météorologie, comme tout le monde. J'étais dans le non et le plus, exactement comme tout le monde.

— Tu as toujours pensé ?

— De moins en moins au fur et à mesure. Certains devenaient fous. Il faut parfois n'être qu'un corps. Quand je le pouvais, j'étais heureuse de repenser, de remettre la machine en route, c'était difficile et étrange. Et parfois, tu ne me croiras pas, mais je refusais de penser, cela me dégoûtait, oui du dégoût, comme si je me méfiais, comme si c'était dangereux. Il fallait seulement sauvegarder la mécanique, un minimum pour faire face à tous les impensables d'une journée, d'une heure, d'un instant. Seulement l'élémentaire. Depuis, je me rattrape. Je ne cesse de penser. Je ne pense peut-être pas correctement, et je ne suis pas sûre que cela soit de la pensée, cela ressemble... mais non, je crois que je ne pense pas encore... non, mes pensées ne sont pas encore de la pensée. Je ne sais pas dire.

Je fais en sorte que tous les jours Klara me parle de comment c'était à Auschwitz. Elle répond volontiers, parfois longuement, parfois brièvement. Au début, il faut la solliciter, elle ne le fait pas toujours d'elle-même. Pour Alban, pour moi, elle choisit des aspects différents. Sans doute nos questions sont-elles différentes aussi.

Cet après-midi, je lui ai demandé si parfois elle avait ri.

— Oui, au début. Mais il y a eu une dernière fois. Je me souviens de la dernière fois. En arrivant, de août à novembre 42, j'ai été dans un commando de travail dur. Très dur. À creuser la terre, un travail de terrassier. C'est là que j'ai été amie avec l'amie de Praha. Plus tard, est venue la jeune fille de Linz, et en novembre, l'amie de Krakow.

Les deux premières semaines, on a réussi à rire. Nous étions encore à peu près en forme, nos forces n'étaient pas entamées, pas trop, et contre le cafard on riait, et toutes les deux nous étions enragées, toutes les deux, la colère. C'est peut-être cela qui nous a rapprochées tout au début, le même état d'esprit. Et puis très vite, avec la fatigue et nos forces affaiblies, est venu le cynisme, une sorte d'humour cruel, pas envers nous, mais envers les autres, pas contre, mais... comment dire... un refus de s'apitoyer, de ménager. Aux nouvel-

les on disait d'emblée la réalité du camp, pas de consolation, pas d'égard, ce qui n'empêchait pas d'aider,
mais nous avions quand même cette cruauté.

Un jour, oui au début, une Polonaise a dit, « tu as
eu de la chance d'avoir été en France, nous ici, on disait,
heureux comme Dieu en France » alors j'ai dit, Dieu
s'est fait rafler en France, il est ici à Oswiecim, il part
en fumée tous les jours, on est les premiers à le savoir.
On a ri. On a ri pendant des jours, on disait, bien fait
pour lui, quelle idée d'aller en France, même Dieu s'est
fait avoir, cette fois il n'en réchappera pas, il ne pourra
pas rassembler ses os. Plus de résurrection pour Dieu...
aux nouvelles qui demandaient ce que c'était que cette
odeur, on disait c'est Dieu qui brûle, il s'est fait rafler
en France, elles disaient ça pue, on disait oui, oui, quand
Dieu brûle, ça pue aussi, cette idée... comme une sorte
de consolation de se dire que Dieu lui-même brûlait.
On n'avait aucune prétention philosophique ou méta-
physique ou religieuse, non, seulement cette idée plaisante, une blague qui nous a soutenues quelques jours
en attendant autre chose... nous, les gens sans croyance,
nous étions les plus nus, mais pas les plus démunis
parce que nous étions sans illusion, et donc sans dépit,
juste ce qu'il faut de révolte pour ne pas se résigner,
juste ce qu'il faut de réflexes pour ne pas mourir, se
laisser mourir... Moïse n'est pas venu ni son frère avocat. Pas de Moïse, pas d'avocat. Dieu était un caporal
autrichien.

Personne n'est préparé à ce que l'exception soit la
règle. Là-bas, tout, le corps, l'esprit, ce qui restait de
l'esprit, s'attendait à chaque instant à l'accident, ce
qu'on peut nommer l'accident à défaut d'un autre mot,
dans tous les cas l'horreur, l'irréparable, même si on y
survit, c'est tout de même l'irréparable dans le corps et
l'esprit alors se faire tout petit, faire ou ne pas faire des
choses pour durer, nous étions lâchérisés ou couragi-
sées, enfin tous ces mots qu'on peut inventer au passif,

vivre au passif, en dehors de soi, un monde où le courage et la lâcheté servent à la même chose, où durer devient l'ignominie quand par hasard il reste une parcelle de lucidité pour s'apercevoir de cette chose-là.

L'ignominie... tu vois, c'est comme ces gros bouquins qu'on ingurgitait toutes les deux, tu te souviens, on lisait à notre faim à cette époque, et on se demandait pourquoi l'auteur ne tuait pas ses personnages à la vingtième page, tant leur vie était atroce, si ce n'est pour le plaisir de les faire agoniser tout au long du récit et la prétention d'arriver au bout de quatre cents pages à les faire tenir debout pour alimenter son orgueil, alors j'ai été aussi cet écrivain, sauf que le personnage c'était moi, que j'ai duré des pages et des pages, et je ne sais pas pourquoi je ne me suis pas laissé mourir au vingtième jour, sauf la prétention d'arriver au bout de ce gros roman, du plus mauvais des romans qui ait été écrit, avec des péripéties de mauvais roman et la même absurdité, la même dérision, la même bêtise.

— Mais dans ce monde d'où tu viens, il y a bien eu un peu de quelque chose d'autre, un peu de pitié tout de même...

— Oui, sans doute. Mais ceux-là qui en ont eu ne seront pas là pour te le dire. Ils sont morts. Ceux-là qui ont eu pitié des autres sont morts. Ceux qui ont eu pitié d'eux-mêmes sont morts. Et nous sommes tous morts. Morts pour rien. Nous avons souffert pour rien, absolument rien. Tout gratuit. Rien, rien qui puisse servir... je suis partie avec un corps acceptable, un visage également, des cheveux blonds et des yeux gris. Je reviens avec un visage ravagé, des cheveux gris, un corps que je n'ose pas regarder et qui n'est pas regardable. Tout cela pour rien, rien, rien... oui, il y aura encore des gens très savants, mais notre savoir extrême, notre savoir des extrêmes ne sera d'aucun secours, c'est un savoir sans continuité parce qu'il est en bascule, un savoir intransmissible, et qu'est-ce qu'un savoir qu'on ne peut transmettre... c'est rien... un savoir qui ne sert à personne, c'est rien. Là non plus, ce savoir n'a pas de nom...

Silence. Puis elle se souvient de ma question.

— Alors le rire... il faudrait des séances de rééducation pour les muscles du rire, du sourire... c'est encore possible... je ris déjà...

— Non, tu ne ris pas, Klara, tu ricanes...

— Ah... oui, tu as raison... mais je crois, rire je pourrai encore, n'importe quel rire, j'aurai sûrement des raisons. De pleurer, non. Pour refaire fonctionner les glandes des larmes, je ne vois pas ce qu'on peut faire, si même c'est nécessaire, c'est seulement quand on a trop vécu, c'est une carence de vieux. Je me souviens de ma grand-mère, elle me disait qu'à son âge elle n'avait plus de larmes, tout était sec. Elle ne semblait pas le regretter.

— Et toi, tu le regrettes ?

— Oui. Moi, j'ai la nostalgie des larmes. Des miennes... de toutes les larmes...

Elle m'a aussi raconté qu'au début avec ses amies, elles avaient imaginé ce qu'elles avaient nommé le « mur du rire ». Elles pensaient que, pendant l'appel, elles auraient toutes pu rire, des sortes de ha ! ha ! ha ! ha ! déferlants. Il y aurait eu des morts, a dit Klara, mais après tout cela n'aurait pas été pire que ce qu'elles vivaient. Elle a dit que toutes les quatre avaient essayé d'en parlé autour d'elles, mettre sur pied ce « mur du rire », mais qu'elles y avaient renoncé rapidement parce que, entre autres, il y avait la peur, et comment intéresser autant de personnes à la fois parlant de multiples langues, et puis a-t-elle dit, certaines étaient déjà très malades, certaines mourantes, même pendant les appels du matin et du soir. C'était aussi programmer des morts propres. Elle a dit que c'était leur espoir, mourir par balle, mais que toujours les gens attendent de n'avoir plus le choix, que tout le monde veut durer, durer, et qu'elles mouraient toutes misérablement, mais aussi qui veut programmer sa mort, surtout collectivement ? C'était de la folie. Maintenant, elle pense que, puisque la folie des autres les perdait, leur propre folie pouvait les sauver. Pas de la mort, mais d'une certaine mort. Pourtant, elle et ses amies ont vite été amorphes aussi et plus préoccupées de survivre que de perdre leur énergie pour une action mortelle. Mais selon elle, c'était dommage de n'avoir pas essayé. Elle reste persuadée que cela aurait eu des conséquences, que beaucoup seraient mortes, mais au moins il y aurait eu un peu de dignité dans tout cela. Toutes ses amies, a-t-elle encore insisté, sont mortes dans l'abjection la plus totale à l'exception de l'amie de Krakow qui a été un peu mieux soignée par ses amies médecins, mais c'est bien parce que c'était Auschwitz qu'on peut le dire car objectivement, même avec une chemise propre, l'amie de Krakow est aussi morte dans l'abjection, a-t-elle asséné.

Et la question est, a-t-elle ajouté, est-ce que tous ces gens étaient nés quelque part, sur une multitude de petits points partout en Europe, pour se faire pousser dans une chambre à gaz en Haute-Silésie et ensuite brûler et volatiliser, pour vivre le destin singulier et commun d'une cigarette, a dit Klara, ou mourir dans leur merde couverts de poux... chacun seul sur une paillasse pleine d'ordures.

Je suis fatiguée.

Hier, le jeune homme Legris a téléphoné à Alban. Il voudrait rencontrer Klara pour se faire pardonner. On dirait qu'il s'accroche à sa faute. Alban lui a promis d'en parler, en prévenant que ce ne serait peut-être pas possible. Il a demandé de ses nouvelles, Alban lui a dit que Klara dormait un peu mieux.

Ce qui est à peine vrai. Elle a recommencé, comme avant, à marcher au salon la nuit et à sommeiller un peu n'importe quand. On ne peut pas dire qu'elle dorme normalement. Par contre, elle mange davantage, mais c'est encore très peu. Fabienne et Alban ont mis au point un traitement, surtout des vitamines et des incitateurs d'appétit, parce que le résultat de ses analyses est plutôt lamentable. L'étonnement dans tout cela, c'est la façon dont elle tient. Alban dit qu'heureusement ils n'ont pas de réponse à tout, car logiquement Klara devrait observer un repos total. Ce n'est pas le cas.

Klara me parle, nous parle d'une autre planète avec ses coutumes, ses classes, ses codes, ses rituels, ses sacrifices... une autre planète. Terrifiante. Planète à laquelle rien de connu ne donne accès dans le mental si ce n'est nos propres pulsions, mais auxquelles il est impossible d'imaginer que nous répondions un jour dans toute leur étendue. Tout ce que j'entends, il m'est difficile d'y croire. D'y croire absolument comme à une évidence. Je veux bien, je suis de bonne volonté pour croire Klara, et cependant c'est comme un conte, presqu'une légende grimaçante d'une tribu lointaine, inconnue jusqu'alors tandis qu'il est question de gens proches qu'on peut côtoyer, qui pourraient être nous, bourreaux et victimes ou les deux à la fois comme il semble que cela peut être. Nous apprenons que tout est possible, y compris de nous-mêmes. C'est sans doute ce qui effraie le plus, qui est le plus pénible à entendre. Nous en avons discuté Alban et moi, et à force de parler, de chercher, nous en arrivons à cette constatation. On tâtonne dans les récits de Klara, et pourtant c'est clair, et néanmoins quelque chose en nous refuse. En moi surtout.

Comment comprendre en effet ce qu'elle raconte à propos de la peur ? Plusieurs fois, la peur est présente, c'est du moins ce que j'en déduis. Cependant, à maintes reprises, elle affirme qu'elle n'a pas eu peur, quand par exemple elle dit, « quand tout peut arriver, il y a la peur, mais quand tout est arrivé, il n'y a plus de peur ». Beaucoup avaient peur, mais elle, pas, ou peu, quelquefois la peau qui se hérisse, mais pas d'angoisse, et même les coups, la première fois c'est terrible, mais toutes les autres fois on se force à penser à autre chose. C'est seulement le corps qui a mal, la pensée est ailleurs.

Avec ses amies, elles s'étaient entendu pour donner un nom aux quarante-cinq sortes de nuages dans les cinq langues qu'elles pratiquaient. Elles ont passé du temps à se mettre d'accord sur les noms, à les répéter et ensuite à imaginer des combinaisons par lettre alphabétique de la première, de la deuxième, etc., lettre de chaque mot ou en épelant à l'envers... C'était la jeune fille de Linz la plus rapide.

Jusqu'à la fin, m'a-t-elle dit, les nuages avaient servi, contre les coups, les cris, la promiscuité, la dernière fois au camp début janvier de cette année pour la pendaison de quatre jeunes filles.

— À la fin, comme j'étais seule, j'ai fait attention à régulièrement me les réciter, et je l'ai encore fait sous le ciel de Krakow, de Praha, de Linz et aussi de Berlin. Les derniers jours au camp ont été des jours d'espoir et donc de doute, autant de souffrances nouvelles qui n'enlevaient pas les autres. Les derniers jours, oui, ont été atroces, et là je peux dire un mot sans le rectifier, sans le regretter, parce que nous allions rejoindre le monde normal. De nouveau, j'ai eu peur.

Elle m'a donné la liste des nuages. Il lui en manque un.

Elle a parlé de la première fois qu'elle a été frappée personnellement.

— C'était une salaude polonaise avec son fouet. Elle m'a frappée. Sans doute que j'ai eu un geste, je ne sais pas, je ne me souviens pas, mais l'amie de Praha qui était derrière moi m'a attrapée par le cou, m'a fait pivoter et frappée et refrappée. Elle m'a sauvée comme ça. Elle m'a dit que j'étais prête à sauter sur la salaude, elle l'avait vu à mon dos, elle en était sûre, et alors l'autre m'aurait abattue cela est certain ou frappée à mort. Le drôle, c'est que l'amie de Praha est devenue blockova à partir de cet événement. L'idiote de salaude a cru qu'elle faisait du zèle pour avoir un poste.

J'étais tellement choquée que je ne me suis même pas protégée. C'était trop fort, pas les coups, je ne m'en souviens pas, mais qu'elle fasse cela, que ce soit elle qui me batte, qui prenne le relais, c'était le plus impensable...

C'était le 6 janvier de cette année que les quatre jeunes filles ont été pendues. Klara a vu. Elles devaient toutes voir.

Je recopie la liste des nuages que j'ai écrite sous la dictée de Klara. Elle a tout énuméré en français.

« Mirador Fumée Seringue Sabot Pioche Tribunal Culotte Fouet Savonnette Maison Chien Photo Revolver Dysenterie Feu Ciseaux Tibia Train Écuelle Typhus Navet Latrines Soleil Manteau Soupe Avocat Lit Enfant Droit Charbon Couverture Phénol Laine Mouche Salle de bains Rat Moustache Dent Poêle Poux Cris Crâne Amérique Barbelés. »

Léandre est arrivé avant-hier. Il loge à la maison. Louise est restée à La Roseraie.

J'ai donc appris ce qu'Alban savait plus ou moins. Louise et Léandre ont hébergé depuis octobre 43 deux frères de quatorze et onze ans et leur cousine de neuf ans, tous les trois originaires du Mans. Les deux pères sont revenus en janvier, mais les mères et la petite sœur des garçons sont mortes à Auschwitz. Léandre m'a raconté une histoire un peu confuse. Il semblait assez gêné, et j'ai fini par lui demander la raison de son embarras.

— Il y a que j'ai honte, que j'ai encore honte... quand j'ai raccompagné les enfants chez eux en janvier, je n'ai pas pu regarder les deux hommes en face. Physiquement... comment est-ce possible... et sans leur femme... les enfants sans leur maman... imaginez Angélika, et combien comme ça... insoutenable... honte d'être Français...

Je ne comprenais pas pourquoi il se mettait dans cet état. Léandre semble être un homme plutôt jovial et expansif, en aucune manière quelqu'un de sombre. Je lui ai fait remarquer que les risques qu'ils avaient pris pour les enfants étaient tout à leur honneur, je ne voyais

78

pas la raison de sa honte. Il a mis un certain temps avant de répondre.

— Voyez-vous, Angélika, vous ne le savez peut-être pas, et mon fils ne vous a rien dit certainement, mais... j'étais antisémite... voilà la vérité... autant que vous le sachiez... et... je n'ai pas vu d'un bon œil les fréquentations de mon fils avec vous, votre frère et votre belle-sœur... je n'ai rien dit... ou pas grand-chose... mais Alban le sait... bien sûr, je vous ai procuré des papiers... oui, et je l'aurais fait aussi pour votre frère et sa femme... mais plus pour protéger Alban... j'aime aussi rendre service et... qu'on me doive quelque chose... tout ça... la honte, Angélika... je vous le dis, et sachez aussi que Louise m'a aidé. Elle m'a forcé à prendre connaissance des lois antijuives... et là, j'ai eu honte... honte, honte, comme jamais je n'aurais imaginé avoir honte dans sa vie... et en colère... contre Pétain, contre Laval... contre moi surtout... contre moi... essentiellement...

Pauvre Léandre, il se cachait le visage dans les mains. Il a continué à m'expliquer.

— J'ai été un antisémite ordinaire... bête... Dans les affaires, on est tous féroces, mais si on est en concurrence avec un juif, on dit, je disais, sale juif, je pensais sale juif, même sans le dire, je le pensais vraiment... et tout ce qui s'ensuit... On ne se fait pas de cadeau, c'est la profession qui le veut, à la loyale ou pas, moi comme les autres, alors pourquoi penser sale juif ? Angélika, toutes ces pensées-là ont donné les lois que j'ai lues, qui ont été appliquées, ça donne ça, les déportations, la mort des enfants, des femmes, des vieillards, toutes nos sales petites pensées de sales Français dégueulasses... je me croyais honnête et je me retrouve complice de crimes, voilà la vérité... bon j'arrête maintenant, et je n'en reparlerai plus. Mais vous le saurez, Angélika, et sachez aussi que vous êtes la bienvenue dans notre famille et la petite fille aussi et... je vous demande pardon...

C'était un peu embarrassant, exagéré pour moi, mais il parle selon son tempérament. Je lui ai seulement dit de ne pas s'inquiéter, et que je le remerciais de sa confiance, que je n'avais rien à lui pardonner parce qu'il ne m'avait pas offensée personnellement.

C'est vrai que je les ai peu connus, mais chaque rencontre a été cordiale. Quand j'ai voulu changer d'identité, Alban a demandé à son père et Léandre l'a fait réaliser rapidement, de bonne grâce je crois. Je n'ai jamais senti d'antipathie ni de réticence. Je me souviens au contraire de Louise très chaleureuse, mais Léandre aussi.

Les êtres sont complexes.

20 août 45

Alban a parlé de Jérôme Legris, mais Klara ne veut pas le rencontrer. Elle a dit : « Je n'ai aucune envie de revoir ce jeune homme idiot, je ne pardonne pas aux imbéciles. De toute façon, ce n'est pas à moi qu'il a fait injure, et comme ce n'est pas à moi, comment pardonner des paroles qui ne me concernent en rien ? Cette femme tondue qu'il a insultée, il faudrait qu'il la retrouve. Dites-lui cela de ma part : qu'il aille s'excuser auprès d'une femme tondue ici, au lieu de venir soulager sa conscience auprès de moi. N'en parlons plus ! »

Je ne peux pas lui donner tort. Je trouve aussi qu'il veut se soulager à bon compte. Son attitude est facile et indécente, comme indécente son agression.

Je n'ai rien vu des débordements de la rue de Rennes. Si ces femmes avaient trahi, elles pouvaient être jugées par des tribunaux. Si elles avaient couché avec « l'ennemi », ce n'est, après tout, pas plus méprisable que d'aller travailler pour lui en Allemagne.

C'est curieux. Avant-hier, je disais à Léandre que je n'avais rien à lui pardonner parce que pas offensée personnellement. Klara a la même réaction envers Legris. Comme si l'injure ne nous atteignait pas. Nous la considérons comme une erreur de trajectoire. Nous ne nous sentons pas cible. Est-ce que nous ne voulons pas souffrir ? Sommes-nous tellement ailleurs ? Vraiment ailleurs ? Nous ne parlons jamais des juifs. Klara n'en parle pas en dépit de tout ce qu'elle a vécu. Moi-même, je n'en parle pas, n'y pense pas. Pas vraiment ou vaguement. Je ne me force pas non plus. C'est comme si nous n'assimilions pas cette filiation. Assez tard, nous avons appris que nous l'étions, mais je n'ai jamais compris pourquoi, et donc pas enregistré. Je ne l'ai su qu'à douze ans. Maman était un peu embarrassée pour expliquer ce qu'était qu'être juifs. Ses parents eux-mêmes ne pratiquaient plus cette religion, peut-être ses grands-parents le faisaient-ils, mais elle ne les avait pas connus. Bref, tout était confus pour nous tous, et rien n'a jamais été éclairci. Le peu d'explication que maman nous donnait se concluait toujours par « de toute façon, c'est de la folie pure et simple ».

Pour Klara, cela a été plus douloureux, plus radical. Son père – je crois qu'il était oberführer à l'époque – a demandé le divorce en 33. Klara est arrivée chez nous en larmes. Je ne comprenais pas ce qui se passait. Maman a dit : « Ta maman est juive, petite Klara, voilà. » Klara secouait la tête, et moi, je la regardais. J'essayais de toutes mes forces de faire la relation juive et divorce. Il m'a fallu du temps pour admettre que des parents se séparaient pour cela... atroce ! Et Klara adorait son père. Ullrich Adler aimait sa fille, sa femme. Enfin, c'est ce qu'on avait toujours vu et cru. M. Adler était un camarade de papa, pas vraiment un ami, mais une bonne relation entre anciens de la guerre de 14. Papa était médecin aux armées et ses médailles nous ont permis de continuer nos études jusqu'à notre départ. Tout de même, ce divorce était grossier. On a dit qu'il y en eut beaucoup. Maman nous le disait, et chaque fois se consolait de la mort de notre père. « Au moins, il ne connaîtra pas ça. »

Quelque temps après, nous avions su la version sans doute réelle. M. Adler n'avait pas demandé franchement le divorce, mais simplement suggéré qu'il devrait quitter l'armée, et donc que sa carrière serait anéantie. Par boutade, Mme Adler aurait dit, eh bien, demande le divorce ! et lui, timidement, aurait dévoilé son désir, quelque chose comme, « tu accepterais ? ». Douloureuse, fière et dépitée, Mme Adler mit alors tout en œuvre pour accélérer la procédure, en posant ses conditions. Son mari les accepta entièrement, trop content sans doute de conserver une parcelle de bonne conscience. Elle récupéra tous ses biens dont l'appartement de Berlin, héritage de ses parents. Klara ne revit plus son père. On peut supposer que ce fût, là aussi, une des conventions. Trois ans après, Klara et Rainer se marièrent. L'insistance de Klara eut raison de tous les arguments de Rainer et des deux mères. Je sais qu'elle mit son père au courant. Était-ce un défi ? En se mariant avec un juif complet – parce que nous, nous sommes juifs de tous les côtés, paraît-il ! – elle lui interdisait toute possibilité de la protéger, à supposer qu'il voulût le faire. Ullrich Adler se remaria en 35, et, avant notre départ d'Allemagne, il avait déjà deux enfants, garçon et fille. Mme Adler – Margarethe Schwarz – le savait. Curieusement, cet homme n'a pas cessé de la mettre au courant de sa nouvelle vie.

Hors la journée des larmes, Klara ne me reparla jamais plus de ce drame. Sans doute Rainer eut-il plus de confidences, mais aujourd'hui j'en doute un peu.

L'entêtement de Klara. Fidélité à sa mère, au patronyme de sa mère. Lâcheté de son père, repoussoir, etc.

Chapitre sur la fidélité : nos procédés ont différé. Très vite, j'ai voulu changer d'identité : Solange Blanc.

Nous avons vécu dans le culte de George Sand. Notre grand-mère était toquée de l'écrivain, et maman se prénommait Aurore, son frère, Maurice comme celui de Saxe, l'ancêtre de Sand... Tout jeunes, nous avons lu *François le Champi*, *la Mare au Diable*... dans le texte, plus tard *Consuelo* et bien sûr *Lélia*. Tout naturellement, j'ai choisi Solange comme la fille de George

Sand, une façon pour moi de rester la fille de ma mère Aurore. Le Blanc m'a évoqué le chef-lieu d'une sous-préfecture du Berry dont nous parlait Lisa à Berlin, mais les gentils faussaires ont fait sauter l'article. Ce nom, par moi très pensé, faisait un peu sourire Rainer. Pourtant, je sais que lui aussi aurait aimé changer d'identité, mais Klara s'y opposait. Dans la clandestinité, il s'est tout de même appelé René Leroux. Quel bariolage !

Solange, c'est doux comme Ilse. On pourrait dire l'ange du soleil ou le soleil de l'ange. Lisa m'a dit que c'était la sainte du Berry, on dit sainte patronne. Cela me plaît.

La fidélité de Klara a été mortelle. Nos noms étaient mortels, nos ancêtres transformés en poison mortel. Solange Blanc. Elle a sauvé ma vie. Les démarches sont en cours pour garder officiellement Solange Blanc. Après, on se marie !

Rainer, Rainer, Rainer, besoin d'écrire ton nom...

Les bijoux de Klara sont presque vendus. Léandre doit finir la transaction dans deux jours. Bonne affaire semble-t-il. Je me sens fatiguée. Victoire me manque. Il fait chaud. Rien ne va. Il faut tenir.

Agathe aussi me manque. Elle est très occupée, je n'ose pas la déranger. On se téléphone. Passer une grande soirée avec Agathe... Plus tard.

Klara a recoupé ses cheveux, mais pas trop. Maintenant, je trouve que cela lui va plutôt bien. Ses joues sont moins creuses. Peut-être retrouvera-t-elle son bel ovale. Elle aurait pris un kilo, signe que le processus de santé est en bonne voie. Elle dort toujours sur le canapé et marche encore la nuit. Elle grignote davantage, mais comme à regret. Cependant, elle reste fidèle au verre de lait sucré. Dans la journée, elle se balade dans Paris. Elle part assez tôt vers huit heures, et revient, m'a-t-elle dit, vers dix-sept heures. L'autre jour, pour la première fois, elle m'a demandé si elle devait acheter quelque chose pour le dîner. J'ai été surprise. Heureusement surprise. J'avoue que je n'y avais pas pensé. Pour le matériel, il faudrait, auprès de Klara, des personnes plus âgées telles que Louise et Adeline (ex. : le verre de lait de Fabienne). Je ne suis pas ce qu'on appelle ici une maîtresse-femme. Nos rapports étaient ceux de l'amitié. En dehors de quelques brefs instants, je ne retrouve pas mon amie, alors je suis désemparée. Toute mon activité consiste à l'écouter, si elle veut parler. Elle ne veut pas toujours. Je n'insiste pas.

Je me cantonne dans ce rôle. Avant la guerre, je veux dire depuis toujours, nous avons beaucoup discuté toutes les deux, mais c'est Klara qui alors écoutait.

Je lui ai demandé ce qu'elle faisait ainsi toute la journée dans Paris. Elle m'a répondu qu'elle prenait des photos. Je ne l'ai jamais vue partir avec ses appareils, j'ai eu l'air étonnée sans doute.

— Sans appareil. Ils sont encore trop lourds pour moi. Avec les yeux, cela suffit. Comme à Brzezinka. Là-bas, avec l'amie de Praha, on faisait des photos de cette manière. On se forçait à prendre tous les jours au moins une photo, une photo réussie, quelquefois deux. Et tous les jours, on se les racontait, on appelait cela développer. On a pu le faire quand on a eu des postes acceptables.

— C'était quoi, des postes acceptables ?

— Quand j'ai été malade en novembre 42, la dysenterie... je ne te raconte plus... la saloperie immonde... j'ai dit que je parlais quatre langues et que j'avais étudié la médecine pendant trois ans. Ça n'avait pas tellement d'importance pour la médecine parce qu'il n'y avait rien pour soigner de toute façon... c'est là que j'ai connu l'amie de Krakow. Il n'y avait pas de poste à ce moment-là, mais elle s'est arrangée pour me faire entrer au Canada. (Elle m'explique que c'est le nom donné à l'entrepôt où étaient stockés les vêtements des déportés et le contenu de leurs valises. Drôle de nom ! Sans doute l'équivalent français de « c'est le Pérou » ou « c'est Byzance » m'a suggéré Alban.)

Après, l'amie de Praha m'a remplacée, et j'ai été à l'infirmerie, et en dernier, l'amie de Linz m'a remplacée à son tour et j'ai été aux entrées à cause du russe et de l'allemand.

À tous ces postes on avait de quoi organiser, c'est-à-dire qu'on pouvait échanger des choses pour être mieux vêtu, chaussures et lainages surtout. Les chaussures, tu ne peux pas savoir l'importance des chaussures. On meurt par les pieds. Des bonnes chaussures te sauvent. Donc, on faisait des photos, l'amie de Praha et moi, et on développait. En dépit des sujets semblables, nous avions rarement les mêmes prises de vue. Elle prenait souvent des gros plans, et moi davantage de vues d'ensemble avec des choses qui traînaient à droite du cadre. L'amie de Praha s'est cassé la tête pour trouver la signification de ces choses qui traînaient, et pourquoi à droite. Pour ses gros plans, je lui disais qu'elle ne voulait pas voir la réalité. Nous avions peu de temps pour nos exercices, et donc nos réflexions n'étaient pas très poussées. Depuis, j'y réfléchis... j'essaie... depuis mon arrivée ici à Paris... je cherche une photo... avant de mourir, l'amie de Praha m'a dit, « tu feras une photo de la paix pour moi », alors je cherche...

— Et tu ne trouves pas ?

— Non... hier j'étais dans le XVIe... une rue très en pente d'où l'on voit la Seine, une rue tranquille, dans cette rue, une maison en retrait avec des sculptures en façade et un bow-window, devant la maison un jardinet et une grille fermée, une grille en métal rouillé, une peinture vert pâle qui s'écaille... le soleil dessus... très beau... très paisible... je ne développe pas... j'ai pris le cliché quand même à tout hasard... mais en revenant, je me suis dit qu'on pouvait s'y pendre à cette grille, comme je ne sais plus quel poète français... on pouvait s'y pendre ou s'y déchirer... que finalement une grille fermée n'est pas sympathique quand on est dehors... ou dedans... bref, j'ai détruit la photo...

— Tu peux m'en développer une autre ?

Elle m'a regardée, a hésité longtemps, puis s'est décidée.

— Si tu veux... mais c'est plutôt une image, je ne l'ai pas prise, pas pensée photo... aux environs de Strasbourg, dans le train... une vision... une corde tendue entre deux arbres et du linge qui se balance, il se balance pour la seule utilité d'être propre, de sentir bon et de sécher. Pour moi, c'est cela qui m'a le plus rassurée. Je me suis dit que c'était la paix. La paix revenue, je veux dire le contraire de la guerre. La paix pour moi a été cela, à ce moment-là... une prairie et du linge qui sèche tranquillement entre deux arbres d'un verger dans le calme d'un après-midi d'été. Après, j'ai pu sommeiller moi aussi, j'étais comme du linge sur une corde.

Il y a eu un long silence comme souvent. Elle réfléchissait. Moi, je pensais à son image.

— Pourtant, il a dû en sécher du linge pendant tout ce temps là-bas... tout aussi tranquillement... mais il y a eu cette image du côté de Strasbourg... pour autant, ce n'est pas une photo de la paix. Avec une corde à linge on étrangle ou on se pend, avec le linge aussi d'ailleurs...

— Et des gens ? Des enfants ?

— Non. Deux personnes... d'un instant à l'autre, elles peuvent se sauter à la gorge... tous les gens qu'on croise... chacun, un assassin possible... non... pas de ces photos-là... impossible... après Oswiecim, montrer une personne, c'est montrer une guerre, un crime en devenir ou déjà commis...

— Des fleurs ?

— Elles sont l'orgueil du jardinier, je n'en veux pas... un arbre peut-être...

— Mais on peut s'y pendre !

Rire-gargouillis de Klara.

— C'est ça oui.., mission impossible...

Silence.

— Une fleur des champs peut-être et encore... tout ce qui menace et est menacé ne peut pas être une image de la paix. La mer menace, la falaise est menacée... elle menace aussi... paix entre deux menaces si on veut, mais rien de définitif... peut-être des morts... pas des morts de là-bas, les cadavres de là-bas, mais des morts tranquilles, morts de mort douce... un enfant mort... c'est peut-être cela... je n'ai pas de solution... je ne pourrai sans doute pas tenir ma promesse... rien de ce qui est vivant ne peut représenter la paix, à moins de décréter sans plus réfléchir, c'est cela la paix, mais tout serait faux... c'est une demande stupide, une promesse stupide...

Plus tard, elle m'a révélé qu'elle ne développait pas toutes ses photos et qu'elle soupçonnait son amie d'en faire autant, mais qu'elles n'en parlaient jamais... (nous aussi, on sélectionnait, a-t-elle ricané) qu'il y avait aussi des scènes impossibles à photographier, mais alors elle s'est tue. Je n'ai pas osé l'interroger davantage. J'ai pensé à ce qu'elle a raconté un jour et que je n'ai pas pu écrire. Des femmes à quatre pattes, léchant de la soupe renversée, à même le sol... une femme tombée, déchiquetée par un chien excité par son SS, et ce qu'elle a dit du camp des Tziganes, des enfants tziganes... ce soir-là, Klara devient blême, presque grise. Je crois qu'elle va s'évanouir. Je lui demande de se taire.

Après, elle ne cesse de marcher, et j'ai peine à sommeiller.

Le lendemain, je lui ai demandé de m'excuser. Elle a dit : « Je comprends. »

Plus tard, elle en a parlé à Alban, « dans toutes ces atrocités, le sort des enfants tziganes est hallucinant ».

Alban est plus courageux que moi. Il estime de son devoir de tout entendre. Parfois, je me demande si, au lieu de délivrer Klara cela ne la force pas à rester là-bas. Alban ne le sait pas non plus, mais dans le doute, il préfère écouter et même susciter. Nous avons remarqué tous les deux qu'elle ne répétait pas ou peu. Parfois, elle revient sur quelques points, mais toujours pour expliciter, préciser, jamais vraiment pour redire.

Quand je la regarde, regarde ses yeux, ses yeux qui ont vu... je pense à Alban.

« Si on ne croit pas les victimes, tout est permis aux bourreaux. »

Les musulmans : terme du camp pour désigner les personnes au bout de leurs forces vitales, atoniques, apathiques, renonçantes à tout, sauf à la nourriture, rendues à un point de douleur tel qu'il annule toute douleur, jusqu'au neutre, si cela est concevable. Un état effrayant selon Klara. Elles avaient toutes la hantise de devenir comme elles. Cela pouvait arriver à chacune du jour au lendemain. Elles se surveillaient, les amies aidaient les amies. Les personnes seules ne pouvaient pas s'en sortir... impossible d'imaginer.

Un état a-humain. Klara a dit à ce propos :

— Telle que je suis, je ne pourrais pas figurer une musulmane dans un film... je suis obèse, cela ferait rire tous les anciens détenus... ce qui est certain, c'est qu'aucun film, jamais, ne rendra compte de cette catégorie. Jamais. Ils sont les seuls à être passés ailleurs, je ne sais pas où, mais ailleurs. Tous, nous avons franchi beaucoup, beaucoup de limites, beaucoup trop, mais eux, les musulmans, c'est encore au-delà, loin, loin, où personne n'a envie d'aller... imaginer être dans l'état le plus misérable, si misérable, si honteux, si totalement abject... qu'il n'inspire ni pitié, ni compassion... seulement le dégoût ou la colère... c'est la solitude sans conscience de la solitude, la plus grande... la cruauté sans fin, sans fond, la désolation absolue.

La malnutrition creusait les os et trouait les joues des enfants tziganes. Klara a vu. Voilà aussi ce qui la fait marcher chaque nuit.

22/08/45 Mercredi

Après avoir parlé des photos, elle a dit :

— Là-bas, c'était un malheur d'avoir des yeux, pourtant nous avons tous gardé nos yeux pour voir... et ne pas voir... c'est la même chose. C'est aussi un malheur d'avoir des oreilles pour entendre, et nous entendions. Les sons se font moins oublier que les images, les sons réapparaissent n'importe où, n'importe quand, les grincements, les hurlements, les trains, les sifflements, les râles, la musique, les pleurs, les murmures, les aboiements, ceux des chiens et ceux des hommes... pareils. Les images, il faut les convoquer. Ici, rien ne rappelle... sauf les cauchemars.

Nous sommes restées longtemps silencieuses. Nos deux cendriers pleins. Elle a une voix rauque.

— Pardonner quoi et à qui, à quel sujet, on ne sait pas. Je te l'ai dit, rien ne s'applique à ce monde. Non, le pardon n'a aucun sens. Un mot peut-il imposer un sens à ce qui n'en a pas... est-ce souhaitable... ceux qui diront seront dans l'effort continuel pour tenter l'approximation et dans la perpétuelle interrogation, est-ce que je mens ? Pour ce qui me concerne, je n'aurai pas trop du reste de ma vie pour savoir que je n'ai pas rêvé... un cauchemar d'idiot, de détraqué... parce que nous avons été traqués, même les privilégiés... mais en sortant, nous sommes détraqués, on dit cela en français... nous sommes détraqués parce que nous avons subi la traque. Après la traque, la détraque... alors le pardon... l'idée de pardon... ce serait se disculper, me disculper, et cela, je ne suis pas autorisée... ce serait me pardonner à moi-même... cela n'a aucun sens. À ce degré d'ignominie, la pensée même de pardon s'effondre, elle est obscène. Il y a statu quo pour que le monde continue à vivre. L'idée de pardon tuerait le monde...

Je suis maintenant dans l'incompréhension du monde, dans l'incroyance du monde... et l'incroyance de moi. Je suis devenue un monde auquel je n'ai pas accès, que je ne peux pas comprendre... La vengeance non plus... imagine, venger quoi, qui, à un tel niveau d'abjection et de cynisme, non. Que tous les gens qui ont à voir avec cela se débrouillent. Les numéros qu'ils nous ont tatoués vont se transférer sur eux et leurs descendants, c'est ce que j'imagine... mais ce n'est pas sûr, et cela ne me regarde pas...

Parfois, Klara émet des sentences, comme toutes sentences, péremptoires. Je crois avoir retenu celle-ci précisément :

« Il y a autant de travail pour parvenir au mépris du genre humain qu'à son exaltation. » Voire.

Plus tard.

— Est-ce qu'une question est une pensée... on pourrait croire et pourtant, je suis dans la question qu'aucune pensée n'alimente. Le ressassement, ce sont des images sans pensée, des images et encore des images... avec un point d'interrogation que je ne pose même pas... au bout, il y a le vide de la question, retour en arrière pour des images et re et re. Je ne sais rien. Plus rien.

Ce soir, une phrase énigmatique avant de se quitter, en parlant des bourreaux.

— À savoir si nous étions dans leurs rêves ou eux dans les nôtres... et ce n'est pas fini...

Trop fatiguée pour demander pourquoi « ou » et non « et ».

Peut-être s'est-elle trompée. Dormir. Je n'en peux plus.

Léandre va quitter la maison après-demain. Alban m'a expliqué qu'il avait un grand nombre d'appartements dans Paris et aussi tout un immeuble plus loin dans l'avenue Henri-Martin.

— Ne t'inquiète pas pour lui, en quelques jours, il aura tout organisé et trouvé quelqu'un pour le ménage.

Je me rends compte maintenant qu'Alban est plus que discret sur ses parents, et pour parler de son père, il serait plutôt réticent. Je lui ai raconté la conversation du premier jour avec Léandre. Il n'a pas fait de commentaire. J'ai été un peu surprise, je n'ai pas insisté. Quand Alban ne veut rien dire, il a une façon bien à lui de détourner le propos. Là, il m'a annoncé qu'il allait quitter prochainement la Salpêtrière pour se spécialiser en pédiatrie. Il en a longuement parlé avec son patron. Celui-ci est d'accord, il faut simplement lui trouver un remplaçant et qu'il l'initie au service. À présent qu'il est sûr de son choix, il a bien voulu m'expliquer combien la naissance de Victoire avait été pour lui un choc et une révélation. Victoire déterminante, mais aussi tout au long de la guerre et jusqu'à présent, tous les enfants qu'il soigne et pour lesquels il se sent impuissant. Il craint de faire des erreurs. Il m'a parlé de la douleur des enfants, physique et surtout psychologique et la quasi-incapacité à la soulager, par manque de temps et aussi de compétence. Il m'a rappelé que Rainer lui avait beaucoup parlé des travaux du Dr Freud et de Mélanie Klein et qu'il lui avait confié son désir de se spécialiser dans cette branche après la guerre. Il m'a dit aussi combien l'amitié de Rainer lui manquait de plus en plus.

Nous avons reparlé de la naissance de Victoire.

Alban était anxieux. C'était son premier accouchement sans assistance professionnelle, il n'avait que moi, et pour moi aussi c'était la première fois. D'ailleurs, pour être juste, nous étions quatre pour qui ce serait la première fois ! Nous avions tout préparé dans l'appartement depuis une semaine. Klara était calme et douce, elle nous rassurait. En dépit de notre volonté, notre tracas se voyait sans doute. Tout s'est bien passé. Klara a serré très fort les dents sur une serviette de table, il fallait le plus de discrétion possible. Agathe, qui se remettait tout juste de la naissance d'Isidore, se tenait prête pour téléphoner à un confrère d'Alban en cas de difficulté.

Je me souviens de notre émotion à tous deux lorsque la tête de Victoire est apparue. Après, Klara émue aussi et radieuse. Je la revois. Ses longs cheveux blonds trempés, son sourire éclatant. Je pourrais dire maintenant « un air de victoire ». Petite fausse note dans un coin de ma tête, le « il manque le père », assez froid de Klara. Au milieu des « Lika, Lika, Alban, vous avez été merveilleux, merci, merci... » enthousiastes de Klara, il y a eu cette phrase, pas Rainer, mais le père... déjà sans doute, une secrète rancune.

J'ai parfois tendance à gommer ce qui me gêne. Quand c'est trop fort, j'escamote, mais le peu que j'écris me fait un bien fou.

Écrire me procure du soulagement certes, mais aussi de plus en plus de plaisir. J'essaie de ne pas trahir les paroles et surtout la pensée de Klara.

Oui, à cette époque, elle disait Lika, Alban, Rainer, Agathe... il a fallu quelques jours pour que je remarque l'absence de nomination, de toute forme de politesse. Elle ne dit pas Lika, Alban... cependant que nous, Klara, Klara tout le temps.

Au début, j'ai écrit sa première phrase, « bonjour Angélika, comment vas-tu ? » Maintenant je n'en suis plus certaine. Peut-être a-t-elle seulement dit, « bonjour, comment vas-tu ? » Y avait-il même le bonjour ? Pourquoi l'aurait-elle dit ce jour-là, et depuis, jamais ?

Elle ne m'appelle pas d'une pièce à l'autre. Elle élève la voix ou elle se déplace. Elle entre sans frapper dans ma chambre. Un soir, je me déshabillais, elle ne m'a fait aucune excuse, elle a dit, « je n'aime plus me déshabiller ». Pour rire, j'ai dit, « et pour le bain ? ». Elle a dit, « l'eau habille et c'est pénible d'en sortir ».

Plus trace de politesse donc, plus de merci, s'il vous plaît, pardon, bonjour, bonne nuit, mahlzeit encore moins ! manières délicates d'être et de demander. Nous avons tous été formés à la politesse, chez nous naturelle et souple, chez Klara plus formelle et un tantinet compassée.

Disparition totale, avec une application stricte qui semble relever, sinon du défi, du moins d'une volonté très ferme.

Je lui ai demandé la phrase d'Agathe.

Lorsque Klara descendait avec les deux gendarmes, Agathe se serait penchée sur la rampe et aurait crié, « je m'occupe de ta tourterelle ».

C'est cela, la phrase d'Agathe : « Je m'occupe de ta tourterelle. »

On s'est tues longtemps.

En me quittant ce soir, Klara a dit :

— Elle a sauvé la langue française, dis-lui... après, je n'ai rien entendu et rien retenu de mon passage à Drancy. Je me suis accrochée à cette phrase, dis-lui... jusqu'à mon départ de la douce France.

Samedi 25/08/45 Henri-Martin

Depuis quelque temps, je me demande si Klara lit et écrit encore. Il y a une bonne bibliothèque rue Richer, mais je n'ai jamais vu traîner de livre au salon. Hier soir, je lui ai posé la question. Elle m'a répondu qu'elle ne pouvait plus lire.

— Ou alors, il faudrait une littérature comique, innocente et comique. C'est à peu près tout ce que je pourrais lire, et cela, je ne le peux pas encore.

Elle a réfléchi.

— Il faudrait quelque chose comme... il était une fois, trois charmantes jeunes filles rasées et maigres. Vint à passer une salaude grosse avec des cheveux. Une des charmantes fit un croche-pied, et plouf, la belle grosse tombe dans la merde. Les trois demoiselles prirent des bâtons, et en riant, lui tapèrent sur la tête, sa belle tête de salaude. Chaque fois qu'elle émergeait, chaque fois un coup, et elles l'enfoncèrent, et riaient, riaient. Tu vois, c'est ça le comique d'Oswiecim. Tout ce pour quoi nous avons ri là-bas n'a pas nom de comique ailleurs, ou alors dans les farces... mais si c'était une farce, moi, cela m'importe peu.

Silence.

— Et dans cette histoire, qu'est-ce qui t'intéresse ?

— Savoir que c'est mon dernier rire. L'instant, le lieu et les circonstances du dernier rire... c'est cela Brzezinka...

— Brzezinka, c'est Birkenau, n'est-ce pas ?

(Je le sais, mais je veux une réaction.)

— Oui, mais plus un mot d'allemand, je ne veux pas.

— C'est impossible, Klara !

— Aussi impossible que de vivre là-bas, de revenir de là-bas, mais l'improbable est possible. À l'intérieur de l'impossible, il y a toujours un petit possible.

Ce qui a suivi ressemble à un règlement de compte à propos de la langue allemande, des Allemands en général, des Juifs aussi.

Klara ne prononce jamais un mot d'allemand, (en dehors de quelques lapsus qu'elle s'empresse de masquer) pas même pour préciser des termes spécifiques du lager que j'ai entendus au Lutétia dès les premiers retours de prisonniers. Ils émaillaient leurs récits de mots allemands, mais Klara, jamais. Elle ralentit parfois son débit, ce que j'avais pris au début pour une habitude nouvelle, quelque chose comme des trous de mémoire ou des souvenirs pénibles à éviter ou à formuler avec précaution. Maintenant, je comprends que c'est l'effort soutenu pour contourner la difficulté de la langue, et la volonté de ne pas le faire remarquer à chaque phrase.

— Vite, vite, vite, me dit-elle, pense ce mot en allemand, ne le dis pas surtout.

Moi je pense schnell, schnell, schnell.

— Je n'aurai pas trop du reste de ma vie pour tuer en moi cette langue. Jour après jour, je couperai les tout petits bouts qui repousseraient, qui repousseront forcément, jusqu'à l'épuisement de la sève. Alors, peut-être je mourrai... J'aurais peur, en reparlant allemand, que cette langue, d'un coup, m'aboie à la figure. Tous les Allemands vont vivre avec cela, cette menace-là. Mais toujours le peuple allemand sera mon peuple, la nation allemande ma nation, même si je n'écris plus un mot d'allemand, ne prononce plus un mot d'allemand, toujours, à l'intérieur de moi, cette langue pleure. (Elle a dit, pleure.) Ils l'ont fait aboyer, la langue de Goethe, de Schiller, de Hölderlin, de Heine, de Fontane, de Kant et de tout un peuple. Ils ont aboyé si fort que l'écho de leurs aboiements ne s'éteint pas. Pourtant, c'est bien dans cette langue que j'ai fredonné pour la dernière fois... À mon corps défendant, je garderai l'air en essayant d'oublier les mots, mais une partie de moi ne pourra pas trahir. Je garde cet accent indécollable, je suis marquée à vie, à mort. Mon cerveau est irrigué par cette langue, elle est mienne, mienne, tu entends, celle de mon enfance, de mon père, de ma mère et tous mes parents, grands-parents et ancêtres depuis des générations qui se sont aimés dans cette langue, qui se sont fait des promesses et des serments dans cette langue, qui ont balbutié, menti, qui nous ont bercés et qui sont morts en prononçant des mots allemands, dans leur lit allemand, entourés des êtres chers qui les consolaient et se désolaient en allemand. En allemand et seulement en allemand.

Ensuite, Klara a parlé du camp où il était préférable, sinon indispensable de connaître l'allemand.

— J'ai utilisé ma langue comme si elle était mon corps, un corps bafoué, l'allemand comme un corps méprisé, ma langue, je l'ai faite putain, oui, j'ai utilisé ma langue maternelle comme une putain, la couleur de ma langue que je n'ai jamais perdue dans aucune autre langue, sauf le russe. Ma langue, ma chère langue, elle a servi à cela, sauver ma peau chaque fois... je la poussais devant moi, à lui faire tortiller du cul, oui, aussi vulgaire, ne me regarde pas comme ça, chaque fois, je lui disais, viens salope, viens aguicher le SS, viens, tu vas rouler le SS, des histoires comme ça... je me disais, si elle aide à tuer, elle peut m'aider à vivre, elle peut servir à tout cette pute... mais parfois, elle était comme un enfant, et je la berçais en récitant des comptines, des poèmes, je l'essuyais consciencieusement de toutes ses saletés, je la torchais, je lui disais, tu es cela aussi, tu le redeviendras, mais c'est trop dur, moi aussi je te crache dessus.

Klara débite, monotone, et ses paroles sont comme un fleuve qui roulerait des rochers, des graviers, les morts et les ruines pêle-mêle, sans distinction, toute chose à charrier sans distinction. Pour moi, c'est tout simplement hallucinant, irréel. Klara, échouée elle-même pour dresser l'inventaire. Venue ici pour cela, semble-t-il. Sinon, pourquoi ?

— Pour nous, les Allemands, il fallait parfois se dire que ce n'était pas notre langue, essayer un peu de l'imaginer. Tous les autres oublieront en rentrant ou du moins ils n'auront pas ces mots de violence, des mots d'un espace et d'un temps déterminés, pas de leur quotidien retrouvé, des mots, pas une langue, des mots entre parenthèses dans le vocabulaire de leur vie. Les Allemands, victimes et bourreaux, devront toujours parler ce parler-là, calmer les mots qui ont aboyé, admettre de dire et d'entendre « vite », sans craindre pour sa peau ou sans menacer la vie d'un autre... C'est pourquoi, il me faut une autre langue, un autre pays, d'autres paysages, des lieux, un temps long qui ne ressemblent à rien de ce que j'ai connu, qui ne pourront en rien rappeler l'Europe. À Oswiecim, il y avait tout le babel européen, sauf l'anglais. Sinon, oui, tout le reste.

Silence.

— Alors, je crois que j'apprendrai une langue morte, et, peut-être à l'intérieur, je serai bien. Les langues mortes n'aboient plus. Dans toutes les langues parlées, on peut aboyer, à tout instant aboyer. Avec les langues mortes, on ne le fait plus. On a dû aboyer en latin, en grec ancien, en égyptien, en sumérien... maintenant, non. Quand une langue réapparaît, imaginons réapparaît, elle peut aboyer. Une langue, si on l'oxygène, elle aboie. C'est peut-être normal. J'ai rencontré des sionistes. Ils réapprennent l'hébreu. Les Juifs vont aboyer en hébreu, tu verras, ils vont aboyer dans cette langue protégée depuis deux mille ans. La langue des études, des chants et de la prière va de nouveau aboyer comme n'importe quelle langue. C'est peut-être normal... tout est peut-être normal dans cette histoire...

Je n'ai pas écrit jusqu'à présent que, le plus souvent, Klara marche en parlant, elle revient régulièrement vers la table pour secouer sa cendre ou écraser son mégot. C'est à ces gestes que je mesure sa nervosité et parfois sa rage. Sa voix reste le plus souvent atone, cependant, depuis quelque temps, une semaine tout au plus, apparaissent quelques intonations. Je distingue des interrogations ténues et même de timides exclamations. Tout ceci, assez faible encore.

La suite est à peu près celle-ci.

— Les Juifs vont tuer aussi. Il faudra s'y faire. Aboyer et tuer, ils sauront aussi. Si les Juifs sont un peuple et qu'ils ont une terre, un pays, alors cette guerre aura fabriqué un peuple meurtrier de plus. Il n'y a pas de raison pour qu'il ne soit pas aussi bête que tous les autres peuples, c'est tout le bien-mal que je leur souhaite...

— Mais toi, Klara, tu es Juive aussi, non ? Tout comme moi paraît-il...

— Pas plus qu'avant. Il m'est tout aussi impossible d'être Juive que de ne pas être Allemande. Ils n'auront pas réussi à me rendre Juive, non... reconnaître que je suis Juive serait leur donner raison à ces déments, ces idiots, ces pervers. Ils pourraient dire, voyez comme nous avions raison, ils sont bien Juifs, même s'il faut un traitement de choc pour s'en souvenir, eh bien non, avec moi cela ne marche pas. Après un grand incendie, tout le monde doit-il devenir pompier ou incendiaire ? Pourquoi devrais-je répondre de mes ancêtres jusqu'à la centième génération, et en quoi la religion juive est-elle exceptionnelle, ces vieilles lunes sont intéressantes comme n'importe quelle mythologie, mais ni plus ni moins. Si tu veux savoir le fond de ma pensée, c'est que Hitler donne un coup de main aux Juifs pour qu'ils restent Juifs ou le redeviennent, et c'est faire allégeance à ce caporal minable que de retourner dans le giron du judaïsme. Je refuse, oui, je refuse de toutes mes forces une quelconque transcendance dans le massacre qui vient d'avoir lieu. Cela a été une boucherie, rien de plus. La réalité a été plus sordide que tout ce qu'on pourra dire et élucubrer. Certains vont faire des relations avec l'histoire du peuple hébreu vaincu, les champions de l'exil... que diront les Tziganes ? Le peuple du livre... le peuple sans livre... Tous les peuples élus passent à la casserole un jour ou l'autre... Pazuzu aurait dû le savoir. Il n'y a que cet aliéné et certains Juifs pour croire encore à cette fable de peuple élu. À tous les autres, elle coûte cher. Et puis, cette idée de race pure est une pure cochonnerie, oui, une idée de cochon, d'impuissant, de maniaque, de buveur d'eau ou les quatre en un. Tu te souviens de ce médecin français qui écrivait des choses complètement folles sur les Juifs, les Juifs-Nègres, je me souviens...

— Oui, Céline, Ferdinand Céline, on riait tellement parce que la langue était si étrange et drôle pour nous, on ne comprenait pas tout, Rainer disait qu'il avait la diarrhée, mais qu'il se trompait d'orifice et Alban voulait qu'on lui interdise la médecine.

— Pour les médecins... depuis on sait... on a bien fait de rire à cette époque... même de n'importe quoi... oui, il aurait fallu rire de toutes ces choses et rire du caporal autrichien, il fallait rire... prendre cet idiot au sérieux est le plus grand crime des nations d'Europe.

— Et de l'Allemagne en premier lieu, non ?

— Oui, bien sûr, mais tu te souviens aussi combien l'affreux traité de Versailles nous avait mis à genoux.

Klara, Allemande incurable.

Dimanche 26/8/45 Rue Richer

Un mois depuis l'hôtel Lutétia.

Il me reste des bribes de jeudi et d'hier. J'écris en vrac comme le café.

Klara m'a rappelé le livre de Wassermann *Die Fall Maurizius* dont nous avions tellement débattu avec Rainer. Maurizius, condamné à vingt ans de prison pour un crime qu'il n'a pas commis, est gracié au bout de dix-huit ans. Le jeune fils du procureur – celui qui a prononcé la peine – mène son enquête à Berlin et découvre que son père, entre-temps, a obtenu la grâce de Maurizius, et c'est alors le cri de révolte de l'adolescent contre cette nouvelle injustice. Il perçoit d'emblée l'humiliation de cette grâce qui entérine la culpabilité de l'innocent et la lâcheté du corps judiciaire qui ne reconnaît pas son erreur et préfère signer la grâce plutôt que la réhabilitation, sans se soucier des conséquences pour l'homme, incapable désormais de vivre. En effet, quelques jours après sa libération, Maurizius se tue.

Jeudi, Klara parlait de ce livre pour m'expliquer que la réhabilitation n'existerait pas pour les victimes civiles rescapées, d'ailleurs, m'expliquait-elle, leur libération n'en était pas une à proprement parler.

— Nous étions sur le chemin des armées, sans plus. Elles n'ont rien entrepris spécialement pour nous. C'est par hasard. Elles passaient par là. Les états-majors n'ont pas dévié le cours de leur stratégie, et on peut même imaginer qu'on les a plus emmerdés qu'autre chose. D'ailleurs, ils n'avaient rien prévu. À Oswiecim, on a pu faire n'importe quoi. Les Russes ne savaient absolument pas quelle méthode employer, ils avaient peur du typhus, on a dû se débrouiller comme on a pu. À moi, cela convenait parce que je tenais encore debout. Alors, dans la pagaille, j'ai pu m'en sortir, mais aussi je parlais russe.

Elle m'a alors raconté qu'elle avait obtenu un laissez-passer pour Krakow et qu'elle avait été à l'hôpital. Là, elle a rencontré un médecin qui lui a demandé si elle accepterait de parler russe quelques heures par jour avec ses enfants. Ce qu'elle a fait. Tout le mois de février et la première semaine de mars, elle est restée dans cette famille. On lui a donné un peu d'argent, des vitamines, elle a pu manger et boire du thé, se reposer assez correctement, et surtout on lui a fourni des vêtements chauds dont un pantalon du jeune garçon de la famille. Les relations étaient cordiales sans être chaleureuses, mais cela lui convenait. La femme du médecin, qui parlait allemand, apprenait aussi le russe avec ses enfants. Tout était pour le mieux dans le provisoire, a dit Klara. Pourtant un jour, cette femme lui a demandé pourquoi elle était au camp, et Klara a répondu, « pour rien ». C'est impossible, a dit la femme, on y a été toujours pour quelque chose. « Pour rien », a répété Klara, et l'autre, têtue, impossible, je ne peux pas le croire. Klara a dit, « oh ! alors, c'est parce qu'ils ont trouvé que j'étais Juive... » et l'autre, ah ! vous voyez bien, Klara, c'était pour quelque chose, personne n'est innocent.

Klara lui a alors balancé son thé à la figure, la théière, les tasses et tout ce qu'il y avait sur la table, elle a tenté de renverser aussi la table, et comme elle n'y parvenait pas, elle a cassé d'autres choses dans la pièce avant de courir dans le corridor où elle a attrapé le manteau de la dame. C'est donc l'histoire du manteau-chien.

Plus tard, elle m'explique les raisons de sa fureur.

— Là-bas, il y avait des tonnes de règlements ; mais pour autant aucune loi, si ce n'est l'arbitraire. L'arbitraire n'est pas la loi en termes juridiques.

Pour ce qu'on nous a fait subir, il fallait bien que l'on soit innocents. Les droit commun faisaient leur temps, le temps défini par un jugement. Pour les innocents, les châtiments sont sans limites. Cette idiote de Polonaise aurait dû le savoir, elle était juriste.

Klara ne dit rien des États légaux qui édictent des lois abjectes non moins légales, lesquelles n'offrent même pas le côté loterie et donc les chances de l'arbitraire.

Elle s'est cachée pendant deux semaines à Krakow, tout en cherchant un convoi pour quitter la Pologne. Elle a finalement trouvé une place pour Praha... Tout le voyage, elle l'aura fait de cette façon aussi aléatoire.

— Je sais me cacher, voler, mentir et dire la vérité, ce qui est la même chose en certaines circonstances, j'ai les réflexes pour aboutir à peu près à ce que je veux. Je sais faire tout cela, et c'est une grande science.

Mon regard a dû être interrogateur car un peu plus tard, elle a dit :
— Ici, je ne dis que la vérité. Maintenant, il faut bien que moi aussi j'apprenne mon histoire.

Et naturellement, je la crois. J'ai besoin de la croire.

Hier, nous avons été en vitesse à Barbery, Agathe et moi. Les petits nous manquent. Dépitées et hilares de constater qu'à eux, on ne manque pas tellement. Adeline a de nouveau montré sa finesse car en partant, juste avant de démarrer, elle s'est penchée à la portière d'Agathe, et nous a dit, « mais on parle tous les jours de vous, les filles... ». C'est là qu'on a ri, et sur la route, on s'est traitées de folles toutes les deux.

C'était bon les quelques heures à Barbery et le voyage avec Agathe. Une vraie respiration pour moi. Agathe m'a dit que j'avais mauvaise mine, elle n'est pas folichonne non plus. Cet été est éprouvant. C'est la paix, oui, mais il y a ces cinq années qui nous pèsent et davantage. Cependant, nous avons mauvaise conscience car ce sont nos nerfs qui ont été éprouvés, mais physiquement nous avons peu souffert. Avec Alban, nous nous sommes promis un peu de vacances après le départ de Klara. Lui aussi a une fichue mine.

J'ai redit à Agathe la phrase qu'elle aurait lancée à Klara dans l'escalier. Elle s'en est souvenue tout de suite. Elle est heureuse de savoir que cette simple phrase a soutenu Klara. Elle ne lui en veut plus. Elle ne comprend toujours pas au sujet de Victoire. Mais qui le comprend ?

Repris mon poste ici rue Richer. En traînant les pieds. Demain, j'écrirai la conversation de tout à l'heure. Elle m'a parlé de Berlin. Pas le courage ce soir.

Fabienne est rue Richer. J'écris donc tranquillement. Alban est de service.

Hier, nous nous sommes couchées à trois heures du matin. Klara raconte, s'interrompt souvent. Évocation de Berlin. Berlin, elle m'y ramène. Berlin en ruine que je ne verrai jamais.

Le débit de sa voix est plus rapide, plus assuré son vocabulaire. Ce sont maintenant des séquences plus longues, ponctuées par des silences presque aussi longs, mais elle se relance ensuite comme pressée d'en finir. Parfois, s'introduisent quelques mots d'allemand, alors elle dit, « oublie-le », puis elle se mord la lèvre inférieure.

Donc Berlin.

— Comme je n'avais plus ni rire ni larmes, j'ai aimé Berlin en ruine, éclaté, ruisselant de lambeaux... oui, j'ai aimé Berlin en tas... j'ai aimé les ruines de Berlin. Berlin n'est plus que ruines et Berlin en ruine m'a appartenu aussi fort que j'ai appartenu à Berlin avant guerre. Avec mes amies, nous aurions reconstruit Berlin à coups de ha ! ha ! ha ! et nous aurions dansé, dansé, dansé sur le bunker de la Hitlerstrasse, toutes les

109

rues de Berlin en ruine s'appellent Pazuzustrasse, s'appelleront Pazuzustrasse.

Long silence.

— Les bâtiments en ruine de Hitler, c'est beaucoup mieux. Sur les façades, c'est comme du rimmel qui a coulé, ça a flambé, salement flambé. Cela fait des mausolées de mauvaise humeur, mais c'est comme si l'espace était heureux de retrouver l'air. Le sol maintenant respire mieux. Le sol outragé de l'Allemagne respire mieux. Au fond, c'est bien toutes ces ruines, c'est bien pour les Allemands qu'ils puissent rebâtir du neuf. Ils auront assez à faire avec ce qui ne changera jamais, je veux dire leur langue, leur climat, leurs souvenirs... (Silence.)

Maintenant les Allemands devraient s'étriper, mais je les connais, ils ne le feront pas, ils ne seront même pas désespérés.

J'ai dit, « tu exagères ».
Elle a dit, « non, bien sûr que non, tu ne sais rien ».
Je me suis tue.

Puis elle me parle des Berlinois qui fouillent les ruines.

— Des femmes et des enfants surtout, on dirait des sortes d'animaux, comme des chiens sans maître, des oiseaux libres (sans doute veut-elle dire hors-la-loi : *für Vogel frei*) des bestioles affreuses du désert, enfin ce genre de chose comme des corbeaux, des charognards de toutes sortes. Les femmes, quand elles se penchent, on voit leurs cuisses grasses, enfin, moi, je n'ai vu que des grasses, jamais de maigres. (Avec Klara, on sait ce que cela veut dire !) Pas beaucoup d'hommes. Ils n'ont plus d'arme... ce n'est pas eux qui soulèveraient des pierres, ils attendent les bulldozers.

Il faut dire, les femmes prennent n'importe quoi, des morceaux de chaise, des bouts de chiffon, de la vaisselle, cassée forcément, des choses dégoûtantes, elles ne veulent pas ne plus avoir rien, alors elles ramassent des immondices, des déchets, des ordures, elles ne se rendent pas compte, il leur faut des choses autour d'elles, dans leur cave, en plus de leurs enfants, s'il en reste. Ce sont les mères et les vieilles, je n'ai pas vu beaucoup de vieux. Celles qui paraissent vieilles ne le sont peut-être pas autant, vu l'âge des enfants. Eux aussi ramassent, mais plutôt comme des trésors qu'on cherche, et ils n'ont jamais plus de quinze ans. Ces femmes, ce qu'elles font, c'est du pillage ou plutôt du grappillage incohérent, irraisonnable, ce ne sont pas elles qui organiseraient un commerce de toute cette récolte, il n'y a pas de pensée marchande, pour vendre, il faut penser, penser d'abord, supputer, calculer, elles ne pensent ni ne supputent, calculent encore moins, elles ramassent, elles cueillent comme leurs ancêtres de la préhistoire, et donc, ces primitives, je les ai guettées, primitive moi aussi, et je les ai menacées comme une primitive pour les chasser. Elles auraient fait la même chose pour me tuer. Là, elles m'auraient jeté des pierres, ce n'est pas ce qui manquait, mais j'avais un tuyau de plomb dans la main, je les ai traitées d'ordures avec le plus vilain accent de Pankow. Elles ont eu peur...

Je n'ai rien pris, je voulais seulement les emmerder, emmerder des Allemandes. Voilà ce qu'ils sont devenus. Un peuple de clochards, une cour des miracles, avec autant de cruauté et d'innocence, autant d'âpreté et d'indifférence. Des rats, un peuple de rats, mais des rats pleutres...

Ensuite, elle me parle d'une autre rencontre de ce type sur une colline de gravats (colline de gravats est l'expression de Klara). La scène a dû être très violente car elle s'exprime d'une manière très compliquée et hachée, s'arrête, reprend, cale, reprend de nouveau. Trop complexe pour que je puisse me rappeler vraiment le détail de toutes ces circonvolutions. J'essaie de remettre d'aplomb le récit, non pas incohérent, mais bousculé. Bousculé, me semble le terme juste.

— Une femme – une chienne, a dit Klara – fouillant dans les décombres, se relevant puis s'accroupissant sans quitter Klara des yeux, en tâtonnant de la main, et saisissant une pierre, un morceau imprécis, quelque chose au jugé, et se redressant, assurée et pas rassurée, assurée de ce qu'elle veut faire, pas rassurée de ce qu'elle a dans la main et qui s'effrite, et les trois enfants se rassemblent contre elle, cherchent l'équilibre sur les éboulis, tout cela en une seconde, a dit Klara, en une seconde un groupe compact dont quatre éléments ne se distinguent plus devant la lumière déclinante.

Pourtant, la masse se disloque pour se recomposer : un enfant derrière la silhouette plus haute, un devant, un autre sur le côté, en sorte qu'il ne reste plus de discernable qu'un grand élément et un plus petit, et la main de la femme formée en poing que Klara perçoit à peine, qu'elle devine plutôt, les personnages rapides à poser se figent, et la scène peut être celle-là quelques instants, les instants nécessaires à Klara pour injurier la femme et lui dire de déguerpir au plus vite, tandis qu'elle a sorti son revolver pour convaincre et, parce qu'avec son savoir nouveau, elle sait la menace précise qu'il est efficace de proférer, par exemple, « ce n'est pas toi, mais un de tes... que je vais... » la femme pousse ses enfants sur le côté, les masque et recule en crabe sur le flan du monticule et disparaît.

— Je n'ai rien pris de ses cochonneries. Je voulais regarder le soleil tomber... un crépuscule haineux... pour moi seule...

112

Deutschland, bleiche Mutter !
Wie haben deine Söhne dich zugerichtet
Dass du unter den Völkern sitzest
Ein Gespött oder eine Furcht*

* Allemagne mère blafarde !
Comment tes fils t'ont-ils traitée
Pour que tu deviennes la risée
ou l'épouvante des autres peuples !

Après cette histoire, (ou comment la nommer) et face à la nervosité de Klara, je n'ai rien voulu commenter. À quoi bon ? Je lui ai cependant demandé si elle avait réellement une arme. Oui, elle a un revolver depuis Auschwitz, mais elle n'a plus de munitions. Un léger silence – sans doute teinté de scepticisme – l'a décidée à tirer sa mallette rouge poussée loin sous le divan. Elle m'a montré l'objet...

— Je sais que tu ne me crois pas entièrement, pourtant, ici, je ne mens pas.

Je me suis rappelée que Klara avait appris le tir avec son père. Autant que je me souvienne, Klara aimait ces exercices. C'est ce qu'elle m'a confirmé un peu plus tard dans la soirée, parce que, simultanément – à cause du revolver certainement – nous avons pensé à Ullrich Adler. Elle refermait sa valise et sans lever les yeux, en gardant ses mains sur le fermoir, elle a dit : « J'ai vu mon père là-bas... à Oswiecim... »

Tout s'est bousculé dans ma tête. Après le revolver j'étais prête à tout croire. Comme elle restait là, accrochée à sa valise, j'ai fini par demander comment, dans quelle circonstance, est-ce qu'elle en était certaine... ? Elle n'a pas répondu immédiatement à mes questions simples.

— Honte, honte, j'ai eu tellement honte... jamais je

113

n'ai eu autant honte... plus jamais je n'aurai cette honte, autant honte... une aussi grande quantité de honte...

— Mais honte de quoi ? C'est à lui d'avoir honte, non ? Tu déraisonnes, à lui, à lui, pas à toi, Klara, tu entends, pas à toi !

Silence.

— Tu vois que tu ne comprends rien. Là-bas, c'était à moi d'avoir honte.

— Et lui t'a vue ?

— Non... il est passé devant moi avec les autres... il n'aurait pas pu me reconnaître, mais malgré cela, j'ai baissé la tête, fait toute petite, j'ai eu honte, pas peur, honte, seulement honte, si honte... il était en visite avec d'autres dignitaires, j'ai cru que c'était Himmler, mais on m'a dit que non, Himmler était venu, mais une autre fois, je n'étais pas encore au camp... je ne savais même pas que mon père était dans la Schutz-Staffel. Il a dû donner des gages. Avec une ancienne épouse juive, il s'est mis à l'abri dans la Schutz-Staffel... j'ai un père prévoyant... et beau... toujours aussi beau... très, très beau. Les lâches, les ordures peuvent être beaux. On apprend cela aussi... et la honte...

Il y avait du désarroi qu'elle tentait de dominer. J'avais envie de la prendre dans mes bras, et à défaut de la consoler avec des mots. Oui, hier soir, j'ai eu de nouveau cette impulsion, mais je suis restée assise et je n'ai rien dit, rien fait. Elle crée l'impossibilité de tels actes.

Après, nous avons parlé plus légèrement. Je lui ai demandé si elle aurait tiré sur les enfants.

— Non, bien sûr que non. On n'use pas des munitions pour un coucher de soleil. Je suis malade, mais pas folle.

Elle s'est rendu compte de sa désinvolture et sans

doute de ma désapprobation, elle a ajouté, « pas des enfants, impossible sur des enfants ».

Est-ce qu'elle le dit pour seulement me rassurer ?

Il était deux heures, et je me suis levée pour rejoindre ma chambre. J'étais près de la porte quand elle m'a demandé : « Est-ce que tu sais comment est morte ma mère ? »

J'ai pris quelques secondes pour décider de dire la vérité ou non. J'ai dit la vérité. Je lui ai tout raconté : les deux lettres assez louches reçues ensemble, l'une pour annoncer la mort de Margarethe, l'autre pour préciser le suicide, et ce que m'avait dit Rainer à cette occasion au sujet du poison fourni par notre mère. Klara m'a écoutée très attentivement. Elle n'a pas fait de commentaire, seulement, « ah ! bon, c'est donc ça... ». C'est tout. Je lui ai proposé de rechercher les deux lettres, mais elle ne veut pas.

— Moi, je te crois, tu vois.

J'ai essayé de la chamailler. J'essaie toujours un peu, de moins en moins il est vrai, de retrouver la complicité d'avant. Jusqu'à présent, c'est un échec.

Juste avant de se quitter, Klara a dit : « Près de Weimar, il y avait un camp... mon père aimait beaucoup Goethe... »

J'ai dit, « qu'aurait pensé Goethe de tous ces lecteurs de Goethe ? ».

Lorsqu'il est venu à Auschwitz, Ullrich Adler était gruppenführer... J'ai pensé à maman qui disait de lui : « La fidélité à ses ancêtres lui tient lieu d'intelligence et de cœur. »

Mercredi 29

J'ai enfin rencontré Fabienne. Je craignais une personne trop énergique. Elle est naturelle et claire. Il n'y a rien d'outré dans sa voix et son allure. Elle a des yeux bruns extrêmement attentifs et un sourire printanier. Sa voix aussi sourit. Elle est chaleureuse sans être envahissante, ferme sans être péremptoire. D'emblée elle inspire confiance car elle ne sollicite rien. J'espère qu'on se reverra plus souvent après le départ de Klara. Pour l'heure, je ne veux pas débuter des, relations par le seul truchement de Klara.

Elle dit qu'elle va partir, qu'elle va disparaître, qu'on ne la reverra plus. En attendant, elle est là. En attendant, elle parle. En attendant, j'aimerais aussi être en vacance de Klara. À son contact, je me sens vieille. Elle m'use.

Bien sûr, elle dissimule, mais il y a tant de haine dans ses propos que rien pour l'instant ne remplace. Le contraire de la prostration, signe de bonne santé, dirait Alban. Peut-être.

Haine. Je crois pouvoir avancer ce mot, le poids de ce mot. Si j'avais réfléchi au vocable haine, pour moi, la manifestation en aurait été passionnée, excessive, fracassante, convulsive, un sentiment qui se voit. Au lieu de quoi, sa voix raconte posément des choses brûlantes qui se refroidissent en sortant d'elle. Elle parvient, je ne sais comment, à exprimer sa haine froidement. Presque légèrement. En permanence, il y a cette dichotomie entre ce qu'elle dit d'abominable et la façon dont elle le formule.

Cynisme, gloussements, rire de Klara comme une herse. On ne peut pas rire avec elle.

Parfois, ses yeux gris impassibles cherchent les miens. Une manière, un code devrais-je dire, que je parviens tout juste à décrypter ces derniers jours. Je m'affole moins de ce qu'elle raconte, mais je m'inquiète de la dose de cruauté qu'elle me goutte à goutte. Klara la douce, dont je n'avais aucune raison de me méfier, corrode insidieusement. Me corrode. Et j'ai mal. Goutte d'acide de sa haine qu'elle ne déclare pas. J'apprends à entendre entre les mots. Klara me tue à petites doses. Je commence seulement à le sentir. Je vais tenir jusqu'à son départ. Maintenant, oui, je désire son départ. Qu'elle parte !

Agathe vient de me téléphoner. La dernière histoire à Barbery est la noyade de la poupée de Victoire. Elle a été sauvée, mais ses joues sont décolorées. Victoire est excitée et fait le docteur.

Antoine a sorti ses pinceaux, il va s'appliquer cette nuit à redonner des couleurs à la pauvre Mimi. Un miracle pour Victoire demain matin ou alors l'assurance de ses capacités médicales ! Je t'embrasse, ma petite chérie.

Jeudi 30 août

Je saute les préliminaires. Paresse de retrouver le chemin emprunté. Chemin jonché de petits cailloux qu'on écarte ou que l'on repousse, on retient, ne retient pas, selon l'humeur, l'envie, le besoin. Sans savoir pourquoi, on s'arrête, et c'est une place, on reconnaît la place, on s'installe, on ne regarde plus le chemin, on ne repartira plus par là, on ira ailleurs sur d'autres axes qui auront aussi une place au bout. C'est aisé et chaotique à la fois. C'est comme ça.

Klara : — Ne pas pouvoir ignorer la réalité, à chaque instant, être au centre de la réalité. Dans la vie normale, il y a des échappées, des évaporations, des fuites possibles, une variété de pôles d'attraction, la pensée vagabonde. Je peux imaginer une scène, me souvenir d'une personne en lavant une assiette, en prenant un bain... là-bas impossible. Réalité et rien que réalité. La première semaine, j'ai cru que tout était faux... et quoi, sinon mon enfance heureuse, m'a permis d'opposer une fin de non-recevoir à ce que je vivais, et peut-être que ces quelques jours de refus absolu m'ont-ils préparée à vivre la non moins absolue conviction qu'il n'y aurait plus que cela, que cela avait toujours été et serait toujours, et ce choix, sans être un choix, mais une sorte de détermination inconsciente, dont je n'ai pas analysé les causes, à vivre en dépit de tout, dans cette bulle-là, sans me poser de question, a été l'exacte continuité du bonheur de l'enfance à travers l'exacte similitude du « ça va de soi ». Être sans espoir sans toutefois désespérer, voilà le fil mince sur lequel il a fallu tenir.

Non, j'ai tort. Parfois, on fait le tour de la place pour reprendre le même chemin. Souvent, on ne le reconnaît pas.

Klara : — (tendue) Nous avons été là-bas réciproquement avec l'autre, victimes et bourreaux, la joie d'être avec l'autre tu comprends, l'être réciproquement, etc., côte à côte, etc., autour de la vérité, autour de quelque chose, etc., sauf le fait privé de notre existence.

Là-bas, toutes les philosophies ont avorté, toutes. Un croche-pied des nazis... pas de nous, même pas de nous.

Ceux qui sont revenus sauront à jamais ce que sont les extrêmes, toutes les possibilités des extrêmes, et même l'entre les extrêmes, toutes les nuances de l'Être. Alors, plus de philosophie. Jamais. Comme Dieu est parti en fumée, la philosophie est partie en fumée, toutes les parties de la philosophie, la morale, l'esthétique, etc., tout, tout s'est effondré là-bas, rien n'a tenu, et c'est tant pis. Tous les systèmes philosophiques, bien huilés, bien cadrés, bien polis, toutes les triturations savantes et fumeuses, les bricolages maniaques de maniaques infantiles, naïfs et prétentieux. Pffft ! à la poubelle ! place nette, il n'y a plus rien...

Pas d'illusion. Je sais qu'il y en aura d'autres, qu'en ce moment, dans des chambres, il s'élabore d'autres philosophies de professeur, d'autres systèmes, d'autres explications sur les décombres de ce qui vient de se passer, qu'on va encore et encore jacasser à propos de l'Être et du Non-Être, avec toutes les majuscules possibles et toutes les éjaculations (*sic*) possibles. Ça va parler, ça va gribouiller. Des sophistes, des tas de sophistes sous le patronage de Goebbels, le dernier des philosophes, saint Goebbels, le metteur en œuvre de toutes les philosophies, le cuisinier et l'assassin... sauf le fait privé de notre existence.

— La philosophie n'y est pour rien, Klara, c'est ce qu'on en fait ou n'en fait pas...

Elle me coupe.

— Alors c'est obscène. Si aucun système de pensée n'a suffisamment de force pour s'opposer à douze ans de folie, si aucune philosophie ne baigne assez une société au point de l'empêcher de sombrer dans l'obscène ; alors, elle est elle-même obscène. Ou alors, qu'on prévienne que toutes ces savantes élucubrations sont là pour seulement emmerder des étudiants et collectionner des citations... on pourrait en rire...

Toujours l'aspiration de Klara au rire. Comme défense, comme libération, comme fierté. Une réponse provisoire ou définitive.

Je crois qu'il est inutile de la contredire, elle est trop en colère, de ces colères froides qui la font raide sur sa chaise et la rendent encore plus pâle et fébrile, qui font craindre la syncope. Elle dissimule ses mains sous la table, mais quand elle secoue la cendre de sa cigarette, je vois qu'elles tremblent. Elle voit que je la vois ce qui la rend plus furieuse sans doute parce qu'elle sait que je ne dirai rien pour alimenter la polémique. Je n'en ai ni la force ni l'envie car, engagée de cette façon, la conversation tourne au monologue, et elle me place dans la situation d'acquiescer ou de controverser.

Lui dire que la philosophie est avant tout instrument de connaissance, approche et recherche du pourquoi et du comment – toute chose connue d'elle par ailleurs – la convaincre que son point de vue reste étroit, me semble inutile.

Elle conclut en disant :

— La seule chose qu'on pourra dire avec certitude, c'est que l'être humain est ignoblement coriace, cela on peut le dire, et c'est à peu près tout... et c'est beaucoup...

Pour lui faire lâcher son os philosophique, je demande :

— Et la poésie, Klara, est-ce que tu la condamnes comme la philosophie ?

Elle est surprise je crois, désorientée aussi. Je vois qu'elle se calme petit à petit. Elle dit d'attendre, qu'elle pense à des choses, qu'elle ordonne dans sa tête. C'est cela Klara, elle ordonne. Elle en a besoin. Je suis certaine qu'elle est spontanée, mais j'imagine que souvent elle prévoit de parler de tel ou tel aspect, qu'elle y réfléchit en tout cas. À défaut de l'écrire, elle pense pour dire, pour se débarrasser. Ce n'est pas un programme, c'est un chemin pour continuer à vivre. Je sens que c'est important pour elle. Il faut que nous tenions. Que je tienne.

— La poésie, oui. Mais c'est quoi la poésie ? La philosophie, c'est quoi ? Des moments de poésie, de purs joyaux, des éclats de poésie... recueillir comme une offrande un timide geste de tendresse, une douceur inattendue dans un regard, une larme de pitié de quelqu'un d'aussi malheureux que soi, et que cette larme fasse du bien, un rire clair d'une jeune fille pas encore sinistrée, le beau visage de femme d'une nouvelle, pouvoir encore le voir, une fleur de pissenlit, pouvoir encore se pencher, et un instant aspirer toute la splendeur du jaune, tirer de la force de ce jaune pour une heure de plus, la chanson d'une Slovaque qui épouille son amie un dimanche après-midi, on oublie la scène, on ferme les yeux, la voix est belle, pouvoir l'entendre, se laisser envahir par cette voix comme on coule dans un bain tiède. C'est cela la poésie ? Pour avoir cette puissance et autant de répercussions, il faut que cela en soit... ou bien la poésie serait la capacité de saisir ces instants de grâce innombrables, mais dont on ne capterait qu'un nombre infime... comme les étoiles... ce serait l'exception à ce que j'ai dit tout à l'heure, l'exception à l'incapacité de s'évader en général. Non, le fil de la poésie n'a pas été coupé à Oswiecim. Pas pour moi. Ne serait-ce que les mots. Beaucoup disaient des noms, suçaient des noms, parfois des mots. Il suffit de dire non ou oui, ou un nom, un mot et s'y accrocher solidement jusqu'à ce qu'il devienne aussi une chaîne... qui étrangle ou qui sauve... J'ai connu une Française qui se répétait le mot « velours ». Pour moi, ce n'est pas un très joli mot, mais pour elle c'était le plus magnifique parce qu'il la calmait, lui rappelait le beau, le chaud, le doux, la fête, peut-être la splendeur, toutes choses qui n'existaient pas à Oswiecim. Elle travaillait dans un théâtre, habilleuse je crois. Jamais velours n'a été plus velours que là-bas. Peut-être que ce mot l'a sauvée... ou rendue folle... Est-ce que c'est de la poésie... si c'est cela, alors oui, elle était aussi là-bas. Des moments brefs et rares qu'il serait dommage d'oublier.

Klara est seule rue Richer. C'est elle qui l'a voulu.

Quand je lui ai dit que demain soir ce serait Fabienne, elle a dit : « Non, je dois essayer d'être seule avant de partir, et je commence dès aujourd'hui. »

Demain soir, on se retrouve chez Agathe. Adrien vient avec les enfants. Ils étaient tous de connivence Alban, Agathe et Adrien. Ils avaient prévu les disponibilités d'Alban et de Fabienne. Adrien et les enfants repartiront dimanche matin. Antoine n'aime pas rester sans voiture à Barbery.

Je me fais une joie de cette soirée. On couchera sur place. Adeline prépare tout le repas, dessert compris. C'est une surprise ! Agathe est tout excitée à la perspective de ce dîner. Elle est d'accord pour inviter Fabienne.

Klara va partir dimanche 9. Pour Londres. Elle s'embarquera dans la semaine qui suit. J'ai oublié la date. Je retiens bien les dates. Là, pour l'embarquement de Klara, je n'ai pas retenu.

Nous le savons depuis une semaine déjà. Je n'ai pas voulu y penser.

Elle s'occupe de ses affaires avec Léandre qu'elle rencontre chez le notaire ou au café. Elle signera séparément la vente de son appartement. Antoine le fera de son côté. Un compte en banque a été ouvert à New York. Elle n'aura pas de problème financier immédiat. Tout dépend du mode de vie qu'elle désire adopter.

J'écris froidement toutes ces choses matérielles qui m'ennuient parce que ma pensée est ailleurs, et mon tourment est plutôt de me faire à cette rupture, et essayer de croire qu'elle sera définitive comme elle nous l'a dit à plusieurs reprises. Pour moi, c'est impensable, plus cruel que sa mort véritable. Pourrai-je trouver l'astuce pour concilier sa disparition et la connaissance que j'ai de sa non-mort ?

Alban m'a rappelé que l'appartement de la rue Richer appartient pour moitié à Rainer, donc à sa veuve Klara. (Très incongru, veuve, veuve Roth, les mots sont crus, impudents, vrais et cependant faux. Veuve Roth ne veut rien dire.)

Cet après-midi, nous en avons parlé. Klara a été catégorique. Elle ne veut rien hériter de Rainer. Elle se considère comme divorcée et non pas veuve. Elle me l'a redit. Elle ne m'épargne rien.

— Les concessions ont des limites. Je prends ce que ma mère m'a donné, juste pour démarrer quelque chose en Amérique, un laboratoire de photo par exemple, j'en ai besoin. Je veux un minimum d'indépendance au début, après je verrai. Je ne resterai pas à New York, je veux plus de chaleur donc j'irai plus au sud et pourquoi pas au Mexique... j'aviserai sur place.

Dans la foulée, elle m'a annoncé qu'elle changerait de nom.

— Un prénom anglais des plus banals comme Mary, un patronyme des plus communs, un nom de chiffre par exemple, quelque chose d'insoupçonnable pour toujours.

Pour me faire rire sans doute.

— *Twenty-two*, c'est pas mal *twenty-two* ou *double*, *double* quelque chose... *carbon copy*... non ! ce sera plus simple, très simple, je plaisante...

Ça, c'est nouveau. Moi, cela ne me fait pas rire. Je me souviens. Rainer et moi chantions la *Winterreise*.

Was vermeid ich denn die Wege
wo die andern Wandrer gehn ?

Hab ja doch nichts begangen
dass ich die Menschen sollte schen !

Welch ein törichtes Verlangen
treibt mich in die Wüstenein ? *

* Pourquoi donc évité-je les chemins
que suivent les autres voyageurs ?

Je n'ai rien fait pourtant
que je doive fuir les hommes !

Quelle folle exigence
me pousse vers les déserts ?

Après, pour dissiper nos mélancolies, il improvisait des sarabandes en scandant, « c'est mieux que Putzi, c'est mieux que Putzi... ».

Quand Klara demandait en russe, « Rainer, joue-nous quelque chose de triste », Rainer se perdait dans les *Nocturnes* de Chopin qu'il aimait par-dessus tout. Noël 41. La dernière fois, ce Noël 41. Rainer au piano la dernière fois.

Il est impossible de ne pas parler de Victoire avant son départ. J'en suis malade.

Il y a quelques jours, peut-être une semaine, je ne sais plus, Klara a parlé des dimanches. Une scène :

Un groupe de femmes autour d'un morceau de miroir qu'elles se passent à tour de rôle. Soudain des vociférations, une des femmes jette violemment la glace, elle crie, « mais qu'est-ce qu'elle a cette glace ? ». Il y a des rires, certains cruels, certains gênés.

« On a été nombreuses à ne pas croire les miroirs ! » a commenté Klara tranquillement.

Samedi 1er septembre 1945 Henri-Martin

Midi : Je viens de téléphoner à Klara. Sa nuit n'a pas été bonne, cependant meilleure qu'elle ne l'avait imaginée. Elle pense être capable de continuer. Elle m'a demandé s'il était possible, dans la semaine à venir, de nous voir tous les trois ensemble. « Il n'y a plus beaucoup de temps. »

J'ai dit : « Nous parlerons de Victoire. » C'était une affirmation. « Oui, certainement », a-t-elle répondu immédiatement.

Ouf ! Cela me rassure.

Dimanche 2 septembre

Quitté Agathe début après-midi. Adrien et les enfants sont repartis à Barbery. La soirée d'hier a été exaltante, revigorante, magnifique, gaie, drôle, affectueuse, douce, tout cela à la fois.

À un moment, je pleure tellement c'est trop fort. Je crois que mon cœur va éclater. Les larmes m'aident à refroidir tout cela. J'ai honte, mais je ne peux pas m'arrêter. Depuis longtemps, je ne pleure plus. Alban me dorlote comme une enfant. « On a dû être fort trop longtemps, trop longtemps, alors, on craque », dit-il.

Et là, ce sont des larmes de joie mêlée de tristesse parce que Rainer traverse la pièce sans crier gare. J'ai la vision de Rainer. C'est un peu confus dans ma tête car je crois que je commence à pleurer avant l'apparition de Rainer, ce serait donc les larmes qui le font venir.

Heureusement, les enfants sont couchés, ils ne comprendraient pas.

Eux sont splendides, couleur pêche et caramel, pêche pour les joues, caramel pour le reste du corps. Agathe leur a préparé des culottes bouffantes avec du tissu de récupération. Elles sont grises sur le devant, noires sur l'arrière avec des bretelles rouges, et pour égayer, deux poches rondes et rouges sur chaque fesse. Cela fait des joues écarlates. Ils ont appris la galipette, motif pour se faire taper ces fameuses joues ! Ils savent chanter

Frère Jacques et *Meunier tu dors*. Pas peu fiers ! Antoine les met tous les deux au piano. « On fait de la misique », dit Isidore d'une voix grave. En tout cas, le grand air les calme parce qu'à neuf heures, ils ne font aucune difficulté pour aller dormir.

Pâté, lapin chasseur, tarte aux prunes. Adeline nous gâte.

Autre surprise : La présence d'Henry, inconnu de nous. Un ami d'Adrien, mais plus âgé, du même réseau si j'ai bien saisi les allusions. Il est très discret, mais il ne m'a pas échappé qu'à plusieurs reprises il n'a eu aucune difficulté à trouver les ustensiles dans la cuisine... Agathe ne m'a rien dit aujourd'hui, elle attend sans doute, hier soir est un jalon. Peut-être reverra-t-on cet Henry-chat énigmatique. Je le souhaite de tout cœur pour Agathe.

J'oublie, il lui manque une main. Un borgne et un manchot à table, plus deux orphelins, plus Agathe sans Frédéric, plus moi sans Rainer, plus Klara... Nous vivrons sans, nous vivrons avec. Plus de guerre, plus de guerre, plus de guerre jamais.

Adrien va tenter Sciences-Po. Adrien diplomate !

La guerre, déterminante dans ce choix. Nous en avons longuement parlé.

Fabienne n'a pu venir.

Lundi 3/9/45 Après-midi Henri-Martin

Klara partira avec une des grosses valises de la rue Lafayette.

Elle prend deux Leica, le Rolleiflex, le Ciné-Kodak et le Kodascope, le super-Ikonta, le Rétina. Elle nous laisse un Leica et le Pathé-Baby.

Ce matin : Klara parle des déportés politiques et raciaux. Le R crisse au fond de sa gorge.

— Ils ne pourront pas tous parler comme moi j'ai pu le faire ici avec vous. (Un remerciement ? *hoffentlich ja.*) Ils vont reprendre en silence leurs occupations d'avant. S'ils le peuvent. Bourreau a été un métier, victime ne l'est pas. Les prisonniers de guerre, les politiques le feront. Surtout les politiques.

C'est seulement à Krakow que j'ai su que certains communiquaient avec la résistance polonaise... ils ne m'ont pas fait confiance... pas jugée digne... au dernier poste que j'occupais, j'aurais pu agir, donner des informations, ce que je voyais et entendais pouvait servir, j'étais assez maligne et encore valide pour être efficace... si j'avais participé, j'aurais été justifiée... au lieu de quoi... jusqu'au bout la bêtise, jusqu'au bout l'humiliation. Les quatre pendues de janvier aidaient la résistance...

Je n'ai pas eu le choix d'avoir le choix... savoir... si j'avais eu le choix... je veux dire comme n'importe quel Allemand... savoir pour donner une réponse, sinon impossible de répondre à la question... est-ce la bonne question, mais c'est une question... et qui demande réponse. Sans réponse, la question demeure, elle existe et la réponse aussi, même s'il faut du temps, la réponse est là forcément... peut-être faut-il traverser l'intermédiaire d'une réponse-hypothèse en attendant le courage d'une réponse lucide... et vraie.

Il y a eu les politiques françaises, une centaine à peu près... un vrai bloc. Au début, elles répétaient, nous sommes des politiques françaises, nous sommes des politiques françaises... cela voulait dire, nous ne sommes pas des raciaux, nous sommes là pour quelque chose, nous. Un titre de noblesse en somme, face au troupeau. Aux enfants, elles auraient pu dire de la même façon, nous sommes des politiques françaises, nous sommes des politiques françaises, pas des enfants, nous. Autre catégorie, sinon autre espèce. J'ai essayé d'être en contact... j'ai eu l'impression d'être une mendiante... moi, une Allemande et pas communiste, je n'avais aucune chance. Les meilleures avaient peut-être pitié... oui, cela je l'ai vu... la chose la plus écœurante qu'on fuit.

En juin, au Lutétia, à deux jours d'intervalle, j'ai pu parler avec deux femmes revenues d'Auschwitz, l'une de Paris, l'autre de province, de ces politiques françaises justement. L'une a été délicate, l'autre plutôt rude. Les deux ont à peine jeté un œil sur les photos de Klara. Je le savais que c'était inutile. Cependant, comme tout le monde, j'étais maladroite et j'en demandais trop. Je posais des questions, elles hochaient la tête, faisaient manifestement un effort pour m'écouter, mais ne répondaient pas ou à côté.

La délicate : « Je ne veux pas vous donner de faux espoirs. Il y a peu de chance qu'elle revienne, surtout si elle est juive. Préparez-vous, madame. Je suis désolée de vous dire cela... » Elle a ajouté doucement, comme une consolation, « peut-être que c'est mieux vous savez... ». Rien d'autre.

La rude : Une juive ? de 42 ? vous pouvez faire une croix.

Elle s'est arrêtée pile. Comme la délicate, elle n'a pas dit plus.

J'ai dit à Klara : « Mais elles ont souffert aussi, payé cher, je crois. Peu sont revenues. »

Elle : « Oui, mais elles savaient pourquoi, et nous l'ont fait savoir... trop. »

Je me souviens de tous ces gens qui arrivaient au Lutétia. J'avais des réticences à montrer les photos, je savais que c'était inutile. Pour les déportés de fraîche date, pour les prisonniers de guerre, elles pouvaient aider, mais pour les autres, non, ils étaient tous méconnaissables, on s'en est rendu compte assez vite. Tous ces gens m'impressionnaient, je n'avais aucune aisance pour les aborder, je percevais que chaque question les fatiguait ou les blessait. Il était impossible de les considérer comme des malades ordinaires. Quelques bénévoles avaient des bienveillances trop lourdes, certaines étaient carrément insupportables de « charité ». Les deux femmes d'Auschwitz revenaient de Ravensbrück *via* Oslo. Elles semblaient perdues, si fragiles, au bord de quelque chose, syncope, crise de nerfs ou de larmes, effondrement physique. Tout était possible. Plusieurs fois, je les ai priées de m'excuser. Je ne savais plus ce qu'il fallait faire ou dire pour les protéger de mes questions.

Alban a aussi éprouvé cet embarras, mais il pouvait s'abriter derrière la fonction médicale qui était un peu mieux acceptée. Pas toujours.

Au Lutétia, je souffrais des maladresses, des incompréhensions, des bévues, des erreurs commises de tous côtés. Je n'étais pas la seule à éprouver cette gêne. J'ai espacé mes permanences, puis cessé.

Face aux questions administratives, il y avait les rebelles, les râleurs et les résignés. Ceux-ci me clouaient sur place. J'essayais d'être la plus délicate possible, mais je ne pouvais pas changer la nature des questions, et ces questions les heurtaient. Beaucoup n'avaient plus la mémoire exacte des dates, des lieux, du déroulement des événements, ils confondaient ou ne savaient plus du tout. Les uns faisaient des efforts pathétiques ou s'enfermaient dans un mutisme soit boudeur, soit amorphe, les autres agressaient ou semblaient apeurés. Pour tous, les questionnaires étaient éprouvants. On voyait qu'ils n'aspiraient qu'au sommeil, au repos, aux soins, au silence, à la tendresse si possible.

Naturellement, rien à voir avec la morgue de Klara après cinq mois de déambulation. Le malaise avec elle est d'un autre ordre. Son aplomb, son arrogance la préservent de toute commisération, c'est plus âpre. J'avoue que je préfère.

Mardi 4 Rue Richer Soir

Le compte à rebours, plus que quatre jours. Une sorte d'angoisse.

Klara paraît légère, comme si l'échéance du départ lui donnait des ailes.

Pour la première fois, elle m'a posé des questions.

— Comment avez-vous vécu la guerre après mon départ ?

Rien dit de l'appartement ici, refuge, boîte à lettres, lieu de stockage pour les papiers compromettants, appartement visiblement fermé, mais rarement vide, rien dit du dernier passage de Rainer, de son silence, de son désespoir, de sa décision de combattre, rien dit d'Alban à l'hôpital et des camouflages de soi-disant malades, rien dit de nos activités antérieures à son départ dont nous ne faisions jamais état devant elle. Après juillet 42, j'ai été beaucoup plus prudente, j'ai eu peur à cause de Victoire. Je ne voulais pas qu'elle se retrouve seule. À quoi bon dire tout cela ?

J'ai seulement évoqué les arrestations dont nous avons eu connaissance, les otages fusillés, les bombardements de l'an dernier avant la Libération de Paris, les restrictions qu'on avait déjà avant 42 et qui se sont aggravées depuis, le rôle des F.T.P. et des F.F.I., les manifestations de juillet 44 et les grèves qui ont suivi, le drapeau français sur la Tour Eiffel, la 2e DB le

25 août, la libération du Majestic dans l'après-midi, les barricades, les Américains le 28, l'incendie du Grand Palais, le départ des Allemands, les blessés, les morts, plus de mille selon Alban, beaucoup plus du côté allemand, semble-t-il. J'ai dit ma peur d'être arrêtée malgré mes papiers en règle, la crainte de la concierge d'Henri-Martin, une fouineuse, donneuse de Juifs, ça on le sait. Alban faisait très attention de la rétribuer normalement pour les services rendus. La moindre anomalie pouvait la rendre suspicieuse et nous mettre en péril. En dépit de mon dégoût, je parvenais à être aimable avec elle. Lâcheté pénible pour nous protéger tous.

Nous avons convenu de jeudi soir pour nous réunir tous les trois.

Klara veut que ce soit ici. Elle nous préparera le dîner... !

Samedi, je passerai toute la journée avec elle. Vendredi elle verra Fabienne. Dimanche c'est fini.

Vendredi 7 septembre

Je suis venue à ce repas l'esprit inquiet, décidée à ce que toutes choses soient dites calmement. Cela s'est passé le moins mal possible. L'émotion, les tensions étaient inévitables, mais nous avons conclu un accord. Dieu fasse qu'il ne soit pas mauvais.

Avec Alban, nous avions établi un plan. En aucun cas, nous n'envisagions de cacher à Victoire l'existence de ses parents naturels. En ce qui concerne Rainer c'est simple, reste le cas de Klara. Nous proposions, dans le respect de sa décision, ou bien d'évoquer sa disparition, sans exclure sa réapparition, ou bien d'expliquer son incapacité, temporaire ou définitive, à la prendre en charge. Explications, disions-nous, à fournir au fur et à mesure des questions éventuelles de Victoire. Au fil du temps, sur ces bases vraies, nous pourrions détailler les circonstances, affiner sa connaissance. Nous suggérions qu'elle puisse revenir sur sa décision dans quelques années. Elle pourrait vouloir renouer avec nous, avec sa fille, et que, en fonction du moment, cela serait sans doute possible sans trop de dégâts. Pour nous, ce projet était jouable, le moins casse-gueule pour elle, pour Victoire, pour nous.

Nous nous relayons, Alban et moi, pour lui présenter au mieux notre vision des choses.

Elle nous écoute sans nous interrompre. À la fin de notre exposé, il y a un long silence. Il n'est pas gênant.

— Vous oubliez que je suis morte à Brzezinka.

Vous oubliez que jamais je ne reviendrai en Europe.

Vous oubliez que je vais changer de nom. Je vais disparaître. Klara Schwarz-Adler va disparaître.

Il est simple de dire à cette enfant, ton père est mort en héros et ta mère en Pologne. C'est la vérité.

Je peux vous expliquer comment cela serait pour cette petite fille si je la reprenais. Je peux examiner avec vous ce cas de figure. Imaginer que je sois venue ici pour vous réclamer cette enfant. Vous n'auriez pu me refuser la légitimité, en dépit du fait qu'elle est déclarée à vos noms. Sans votre accord et sans les procédures sans doute longues, je ne pourrais partir avec elle. Admettons que je le fasse, que je veuille rapter l'enfant, parce qu'il s'agirait de cela, un rapt, vouloir à tout prix avoir l'enfant que j'ai mis au monde voici trois ans, que je n'ai pas déclaré, que je n'ai même pas nourri de mon lait... deux inconnues l'une à l'autre partiraient en Amérique loin de vous. J'exigerais de la même façon la rupture totale avec l'Europe... avec vous. Imaginez l'enfant, l'enfant que vous connaissez maintenant. Imaginez ce qu'elle serait dans six mois. Elle ne parlerait plus le français, pas encore anglais, elle ne pourrait plus rire, peut-être pleurerait-elle encore, elle aurait les cheveux coupés court... Elle n'a rien connu de la guerre, elle connaîtrait la guerre avec une malade. Comprenez bien. Je suis minée. À tout moment, une bombe peut exploser. La reprendre serait la pousser sur un champ de mines. Il faudra du temps pour tout désamorcer, l'enfance d'une petite fille y passera, une enfance entière avec ce danger permanent. Le danger que je représente, le danger d'Oswiecim.

À l'intérieur, je ne suis que mort, j'ai un goût de mort, je pue la mort, pour longtemps encore, peut-être pour toujours. Les enfants le sentent. Je ne veux pas qu'elle renifle cette odeur qu'elle n'a pas encore eu dans le nez. Nous avons eu, nous, des enfances heureuses. Pourquoi pas elle ? Avec moi, elle n'échapperait pas à Brzezinka. Elle a été épargnée, pourquoi lui infliger les séquelles de ça ?

Alban : — Il n'a jamais été question de t'abandonner Victoire. On aurait pu trouver un compromis, mais cela impliquait que tu restes ici... Lika et moi...

Klara : — Vous êtes ses parents, je le sais. Je le sens. Croyez-moi ou non si je vous affirme que cela me rend un peu heureuse, un peu calme depuis le début. Je ne sais pas pourquoi précisément je suis revenue ici, mais cette chose justifie mon détour. Comprenez. Je ne rejette pas ma fille. C'est moi que je rejette en dehors de sa vie à elle, pour sa vie à elle. Je n'ai rien à lui donner sauf ma douleur et ma folie, ma maladie, c'est bien cela, je suis malade et pas près de guérir... une aberrance (*sic*) de la pensée insinuerait que l'enfant me guérirait... un enfant, avec son temps d'enfance, n'est pas fait pour cela. Il a autre chose à vivre.

Moi : — Nous n'y avons jamais pensé, Klara. Tout ce que tu dis est clair et bien compris par nous depuis ton retour. Pourtant, cela n'explique pas pourquoi nous devrions dire à Victoire que tu es morte, sachant ce que nous savons...

Klara : — Parce que depuis le début nous parlons d'une seule chose. Nous parlons de l'abandon. Je sais que vous ne vous méprenez pas. Depuis le début, nous ne parlons que de cela, l'abandon... qui abandonne qui. Dans la supposition que je vous ai développée, c'est vous qui abandonneriez, elle serait abandonnée par vous, dans mon cas, c'est moi qui abandonne, elle est abandonnée par moi... si je suis vivante. Moi morte, elle ne subit aucun abandon. C'est ce que je veux.

Alban : — Il y a des choses qu'un enfant comprend. Comme te l'a dit Lika, une explication échelonnée dans le temps...

Klara : — Non. Vous ne savez pas ce qu'est l'abandon. Un enfant meurt d'être abandonné. Je le sais. Je le sais. Je le sais trop. Croyez-moi, je le sais. Je vous en prie, croyez-moi...

« Je vous en prie » nous rend muets et soudain en alerte, à l'extrême pointe de l'attention. « Je vous en prie » résonnant étrange, quasi inquiétant, forçant le respect. Nous deux au diapason. Sachant désormais la gravité. Renonçant par avance à notre point de vue par l'émergence d'une force et d'un savoir plus grand que le nôtre, d'une douleur, jusque-là cachée, et qui va nous être révélée. Le long côtoiement de Klara nous le fait pressentir.

Alban : — (À peine audible.) Dis ce que tu dois dire, Klara, dis-le maintenant.
Klara : — Oui.

Silence. Long silence.
Elle cale son dos à la chaise, elle pose ses avant-bras sur la table, elle étend ses mains à plat. Ensemble, j'en suis certaine, nous inspirons profondément.
Pendant tout le récit que nous fera Klara, elle fermera les yeux, elle ouvrira les yeux, elle sera là-bas, comme étant là-bas, elle regardera le mur ou Alban ou moi, elle sera belle, belle, Klara, enfin belle. Avec une voix toujours rauque, mais harmonieuse.
C'est avec émotion que j'essaie de me rappeler avec exactitude et dans les détails l'histoire du petit Ulli.

— Là-bas, j'ai eu un enfant, un petit garçon. Je veux dire... il a été là un jour dans notre baraque. Personne ne sait comment, personne ne l'a su. C'était fin novembre l'an dernier. On ne gazait plus.
Un petit garçon aimé. Il n'était même pas maigre, pas sale, pas en loques non plus. Quelqu'un de très

attentionné aura veillé à sa nourriture. Peut-être aussi à ses rires. Il restait les preuves de la nourriture. Pas du rire. Il était sérieux. Jamais il n'a ri. Pleuré non plus. Mais son visage était ouvert, ses yeux n'étaient pas vagues, pas morts, pas apeurés, pas méfiants, pas idiots. Ses yeux étaient attentifs. Il n'a jamais parlé, mais pour autant, il n'était pas muet, pas physiquement muet. Une fois, une seule fois, il a dit non à une femme, il a dit non en allemand. Il n'était pas sourd non plus. Quand je lui chantais des chansons en allemand et en russe, il battait la mesure avec ses doigts dans ma paume ou sur ma cuisse. Parce qu'il était à moi. C'est moi qui l'ai nommé la première, alors les autres ont abdiqué, elles ont dit, c'est le tien... mais aussi, il m'avait choisi, en premier c'est lui. Je lui tenais la main, il la laissait, aux autres il la retirait... sans se presser, sans violence, mais fermement comme tout ce qu'il faisait. Toutes passaient par moi pour lui donner la nourriture, de moi il prenait. Toutes ont accepté... du moins toutes ont participé pour le cacher, veiller, prévenir du danger, toutes complices, blockova inclue, oui, cela a existé dans cet endroit là-bas, en enfer à Brzezinka, un enfant a pu vivre, continuer à vivre... avec des femmes... avec moi... il dormait contre moi... dans la journée, je m'échappais pour le retrouver, lui parler, lui raconter des histoires, mais surtout beaucoup lui parler... je lui parlais de la fin de la guerre, que bientôt nous serions libres, qu'on partirait, que tout serait plus beau, que je ne le laisserais pas, que peut-être on retrouverait sa maman, que peut-être alors il parlerait, que je comprenais son silence, que je ne lui demandais pas de parler, je l'appelais le plus possible du nom que je lui avais donné...

Moi : — Klara, s'il te plaît, quel nom lui as-tu donné ?

Klara : — (Sans hésiter.) Je l'ai nommé Ulli. Ulli est le nom que je lui ai donné... Je lui parlais de sa maman, de son papa aussi, mais surtout de sa maman, que peut-être on la retrouverait, et que lui alors partirait avec elle quand la guerre serait finie, je lui disais que sa maman n'avait pas pu faire autrement, qu'elle était sûrement gentille, que peut-être elle était malade et que peut-être elle était morte, qu'un jour il en parlerait, mais quand il voudrait. Quand je lui parlais de sa maman, il serrait plus fort ma main, il avait des mains larges, encore potelées, quand j'évoquais sa mère, il pressait ses doigts dans ma main... c'est tout... je disais tu verras, tu verras, Ulli, on cherchera tous les deux ta maman, je te promets, on fera ça tous les deux quand les autres soldats gentils viendront, ils viendront bientôt, on posera des tas de questions, et peut-être toi aussi tu poseras des questions, et si on ne la retrouve pas, on ira dans une famille un peu loin d'ici, je te promets, avec d'autres enfants plus petits que toi, qui n'ont pas connu la guerre comme toi, tu seras le plus grand, tu seras grand et tout le monde t'aimera, je lui disais... je lui disais... tant de choses que l'on dit à un petit garçon inconsolable.

Je lui parlais en allemand. Au début, nous avons essayé toutes les langues de la baraque, mais c'est en allemand qu'il comprenait. Peut-être était-il tchèque ou allemand... je lui parlais, je parlais... je parlais pour qu'il me croie, qu'il croie aussi fort que moi je croyais, je croyais tellement, tellement, en novembre on commençait à croire et Ulli m'aidait à croire encore plus, je parlais autant, pour cela, pour qu'il me croie, c'est sans doute pour cela, c'est ce que j'ai pensé après, pour qu'il me croie, c'était cela l'urgence, qu'il croie toutes ces choses que je disais... qui étaient des choses possibles, raisonnables, à notre portée, des choses croyables pour un petit enfant... des choses jolies aussi, je trouvais tout, même ça, des choses jolies à dire... oui.

Klara se tait longtemps.
Alban a la tête dans les mains.

J'ai la gorge serrée. Bien sûr nous connaissons la fin.

Mais il faut qu'elle soit dite.

Klara ne bouge pas. Son visage est beau, ses traits adoucis.

Elle est calme. Nous nous levons pour boire de l'eau. En silence.

Nous nous déplaçons avec précaution, nous sommes presque cérémonieux, Alban et moi.

Klara nous suit des yeux. Elle attend.

Nous savons la suite. D'avance, nous sommes dans le rituel.

— Un soir, je suis rentrée au block. Il y a des silences spéciaux, des silences qui crient. La somme de leurs silences de ce soir-là, conjuguée à leurs écarts devant moi, m'ont tout appris en quelques secondes. Ulli allongé sur ma paillasse. Mort. Les yeux ouverts. Mort... Tout près de lui, j'ai dit, tu as eu raison, Ulli. Il n'y a eu personne pour me contredire... là, debout, mes yeux comme des robinets, sans aucun sanglot, les yeux ouverts devant Ulli les yeux ouverts aussi. Pour Ulli, pas de pleurs, seulement des larmes qui coulent, de l'eau, la dernière eau. Après la mort de ma dernière amie, je ne savais même pas qu'il en restait. Maintenant, mes glandes sont des petits raisins tout fripés, tout secs. Oswiecim, c'est cela : savoir quand, où et pourquoi on a ri pour la dernière fois, quand, où et pourquoi on a pleuré pour la dernière fois, savoir que ces deux fonctions sont détruites, avoir d'autres occasions et s'apercevoir que ce n'est plus possible, ni le rire, ni les larmes, et se rappeler les circonstances de la dernière fois. Voilà. On laisse des choses comme celles-là à Oswiecim. C'est cela Oswiecim...

Oswiecim plein de boue est un endroit sec, un lieu qui a tout asséché. Pas de chambre à gaz pour Ulli, mais brûlé oui, comme les autres, et mes dernières larmes.

C'était le 20 décembre dernier. Cinq semaines après, les Russes étaient là.

Les morts ont leurs raisons.

Ulli pouvait vivre. Il n'a manqué de rien pendant les trois semaines avec nous. Sans maladie, sans carence, il est mort. Il a décidé de mourir. Chez un si petit enfant, il y a eu refus. Il ne nous a pas crues, nous toutes, il ne m'a pas crue, moi. Un doute pour l'éternité... d'ailleurs, ce n'était plus le doute, mais bien l'incroyance totale, incroyance envers un monde qui enlève les mères et fait le malheur énorme. Il a préféré ne pas vivre cela.

Si l'histoire est bien celle que je vous raconte, il m'aurait fallu encore quinze jours ou un mois pour que je me jette sur les barbelés à la mort de Ulli. Il était pressé je crois. Il ne m'a pas attendue pour que je sois une mère possible pour lui, je n'ai pas su le convaincre. Il faut une force d'amour exceptionnelle sans doute. J'étais pauvre. J'ai donné, donné, après j'ai gratté, gratté pour trouver des miettes, mais il faut croire que je n'avais pas grand-chose, en tout cas pas assez pour retenir un petit garçon et maintenant, je n'ai plus rien.

Mes dernières parcelles d'amour ont été pour le petit Ulli si digne qui est mort avec la plus belle intelligence qui soit, c'est-à-dire dans le refus de vivre au-delà des limites acceptables. Tous ceux qui sont revenus ont été bien au-delà de ces limites. Ce n'est pas glorieux.

Moi : — On peut penser le contraire.

Klara : — Je ne me suis pas jetée contre les barbelés. Il a eu raison de ne pas me croire...

Peut-être Ulli s'est-il absenté pour que restent les questions. À moins que sa mort soit une réponse que nous n'avons pas osé entendre. Mourez, mais mourez donc. Peut-être a-t-il dit cela, mais vous pensez bien, ça, personne ne veut l'entendre, surtout dans un endroit pareil !

C'est pourquoi il faudrait tuer tous les bourreaux

pour que ce souvenir-là ne survive pas, pour qu'il ne reste pourrir dans aucun cerveau. Il faudrait les tuer pour que ne vive pas normalement un genre humain qui a tellement bafoué le genre humain. Le plus grave pour l'humanité, c'est que vivent des gens qui se sont mis hors l'humanité. Oui, moi je les tuerais. Pas pour la vengeance, non. Seulement pour l'hygiène du monde. Mais aussi le souvenir de cette ignominie qui nous a fait complices pour la survie, cette ignominie qui nous a éclaboussés, contaminés, tatoués l'âme même, il faudrait aussi l'extirper pour supprimer les traces, et donc nous tuer aussi, tuer les victimes. Mais je sais... les nazis aussi pour leur hygiène ont massacré... alors ne faisons rien, mais le monde s'alourdit.

C'est un long monologue. Klara ne bouge pas, ses mains toujours à plat. Elle ne fume pas, ne boit pas. Elle raconte le petit Ulli, elle n'a besoin de rien. Nous aussi, immobiles, nos yeux sur Klara.

— Ulli a dit plus que non, un superlatif de non. Un mot inexistant. Un non total, et celui-là n'est pas un oui à quelque chose d'autre. Peut-être que ce mot n'existe dans aucune langue parce que ceux qui disent cette chose ne la formulent pas, ne prennent pas cette peine, ne s'attardent pas sur terre pour forger ce mot unique qui leur est commun à tous, c'est le mot de tous les morts de ce plus que non ou de cet autrement que non. Il n'y a qu'eux qui pourraient l'inventer, mais cela ne les intéresse pas, ils sont tout simplement dans ce mot qui n'existe pas et que nous ne pouvons pas déclarer à leur place, sinon... il reste le regret, la honte de ne pas être un des leurs.

Long silence.

— Peut-être qu'un enfant ne se suicide pas. Il arrête son cœur, c'est tout. Il a cette puissance.

La doctoresse de Warszawa m'a dit que Ulli devait être cardiaque. Une sentence médicale ! J'ai dit oui, il avait une maladie de cœur. Je connais les symptômes. Un enfant qui ne rit pas, qui ne pleure pas, qui ne parle pas pendant trois semaines est certainement malade du cœur. Cette femme était aimable et sensible, elle m'a répondu, je te donne un diagnostic de médecin, mais je sais ce que tu penses, tu as sans doute raison.

Comme a eu raison Ulli.

Et pour ne revoir personne ici, en dehors de vous, j'ai eu aussi mes raisons. Comme les morts.

Je serais revenue avec Ulli, j'aurais élevé deux enfants. Avec votre aide, je crois, j'en suis sûre, je l'aurais fait. Mais l'Europe est aussi le lieu de ma défaite, le lieu de mon assèchement. Mon histoire dans la plus vaste. À l'intérieur de la grande débâcle, j'ai aussi la mienne.

Je ne veux plus souffrir de cette étrange souffrance qui consiste à souffrir de voir souffrir les autres.

Silence.

— Maintenant, je suis orpheline de cet enfant.
Moi : — Seulement de lui ?

Silence.

— Pas seulement... mais aussi de toute autre maternité.

Nous avons encore beaucoup discuté. Sans être entièrement convaincus – surtout Alban – nous rendant à ses raisons, nous avons abdiqué.

Le moment venu, nous dirons à Victoire que sa mère est morte à Auschwitz, Haute-Silésie, Pologne.

Il est six heures, j'ai écrit toute la journée. Tout à l'heure, nous allons au restaurant Alban et moi ! Demain, je le passe avec Klara. Dimanche 15 heures, nous l'accompagnerons à la gare. Aujourd'hui, elle est avec Fabienne.

Mardi 11 septembre 1945

Klara est partie. Klara, Klara. Voilà.

Courageuse Klara. Je suis en deuil. Oui et non en deuil.

Sur le quai, elle m'a serrée très fort contre elle.

Son dernier geste, essuyer mon visage. Un geste doux. Comme avant.

« Tout a été bon, tout ira bien. »

Elle est montée dans le train avant le signal.

Nous sommes partis aussitôt.

Depuis, je pleure. Un si grand vide.

Ses bonnes paroles des derniers jours :

« Nous avons fait une grande traversée tous les trois. »

« Mes cadavres restent entiers (?) et en nombre, mais grâce à vous, ils sont moins lourds. Je me redresse. »

« Peu de gens sont capables d'entendre tout ce que j'ai dit. »

« Je ne vous ai pas épargnés. Vous n'avez pas fait sentir votre fatigue. »

« Vous êtes courageux. Vous êtes élégants. »

« Maintenant, prenez du repos. »

« Ce mois avec vous est un grand cadeau. »

Ce qu'elle me déclare comme un compliment :

« Toi, tu aurais été aux barbelés. »

Comme une recommandation en parlant de Victoire :
« Que cette enfant rie ! »
Et plus tard :
« que vos enfants rient ! »

Elle a ainsi émaillé son bilan par ces petites bribes.
Des mercis de contrebande.

C'est insensé. Jusqu'au dernier moment, j'ai espéré
un retournement. Son adoucissement m'a fait croire à
une telle éventualité. En dépit de ce que je sais, en dépit
de la dernière confidence de samedi, j'ai aspiré de toutes mes forces à une décision contraire de dernière
minute. Comme devinant mon absurde souhait, au
détour des phrases, elle m'a recentrée constamment par
des « je ne regrette rien », et autres réajustements.

Sa grosse valise était aux bagages. Elle est partie
avec le beau petit sac de voyage de Margarethe. J'ai
retrouvé la mallette rouge, pulvérisée dans la poubelle.
Pas trace du manteau-chien de Krakow.

Jeudi 13 septembre 1945 Henri-Martin

À propos de samedi.

Klara me raconte le Reich truffé de camps comme des trous de fromage, les futurs trous de mémoire de l'Allemagne, dit-elle.

Elle me raconte encore Berlin, ses ruines, ses fumées, ses ombres hébétées, ses chars, ses voitures retournées comme des tortues sur le dos et pas encore enlevées, ses cages d'ascenseurs sans rien autour et on pense, dit-elle, qu'ils ont été des cercueils pour des ascensions d'une autre sorte, ses caves, ses rats, Berlin et ses splendeurs par terre, Berlin puzzle. Klara s'oriente mal, passe d'une zone à l'autre avec habileté et l'idée fixe de retrouver l'immeuble de sa mère. Une semaine pour enfin le découvrir, intact. Tout un tronçon de la rue a été épargné, elle n'en croit pas ses yeux.

Je reconstitue.

Elle aurait frappé ou sonné. Carillon peut-être. Ils auraient ouvert. Elle aurait dit, je suis Klara Schwarz-Adler. Parce qu'ils ne veulent pas être gênés, ils paraissent étonnés. Ah ! c'est toi, on ne t'aurait pas reconnue. Plus tard, dans le corridor, ils sont nerveux d'autant qu'ils ne veulent pas le montrer. Imaginer les yeux de Klara pointés dans leur dos. À la salle à manger, ils s'assoient devant la fin d'un repas. Elle reste debout.

C'est ce qu'elle dit. Elle, debout, eux, assis. Si gênés qu'ils ne l'invitent pas. Ou peut-être si. Elle ne le dit pas. Donc, Klara, dressée au bout de la table. Eux, assis. Bien calés ? Pas bien calés sur leur chaise ? Elle ne le dit pas. Table et chaises Biedermeier. Table et chaises Biedermeier de ma grand-mère, glousse-t-elle.

Imaginer l'effort qu'ils font pour paraître normaux. Fin de repas. Frugal, pas frugal, on ne le sait pas. Ce détail reste inconnu. Tout de suite, la conversation. Fébrile de leur côté, précise, sèche du sien. Imaginer. Comme on connaît Klara maintenant, identique, sinon plus dure en ce mois de juin à Berlin. Elle a précisé, juin il faisait beau.

Trois semaines à Berlin après Dresden, Linz, Prag, Krakow. Berlin, station obligatoire, Berlin, station funéraire. Berlin et ses huit photos.

Entre autres.

Lui ou elle : — On ne t'aurait pas reconnue... tu as changée... tu étais jolie en 38, on a tous eu nos malheurs, tu vois...

Quand tu es partie en 38, avec un Juif je crois, ta mère a eu du chagrin, c'est sûr. En septembre 41 hein, c'était en septembre, elle aurait dû porter l'insigne spécial, mais bon, ton père la protégeait sans doute hein, on ne sait pas ça, bref un jour, on ne l'a plus vue, un jour, deux jours, pas de bruit ici, on a forcé la porte avec la police. Tu sais bien, elle s'est tuée, une balle, là-bas dans l'autre salon, le petit, tu sais, le moderne... pas de poison, introuvable hein, alors une balle...

Klara : — Non, ce n'est pas vrai.

Elle ou lui : — Tu pourras toujours demander. Si les archives existent encore, c'est consigné. On a essayé de faire au mieux pour elle, et crois-moi, c'était risqué pour nous à ce moment-là, Wolfgang et Gottlieb dans la Wehrmacht, Marcus aussi, Gertrud engagée et Gisela, tu te souviens de Gisela, tu as joué assez souvent avec elle, eh bien maintenant quatre enfants, tu vois, alors c'était risqué, très risqué, tu le sais, en ce temps-là, tout était risqué avec les Juifs.

Klara : — Non, avec les nazis.

Eux : — Oui si tu veux, mais à cause des Juifs quand même, sinon il n'y aurait pas eu de problème. Toujours est-il qu'on a fait pour elle le mieux qu'on pouvait. Il faut tenir compte des circonstances, Klara, nous avons subi aussi et beaucoup. Tu tiens à ton point de vue. Si tu crois que la vie a été facile pour nous, ici. Nous avons perdu un neveu sur le front de l'Est, un petit cousin, un oncle, une tante dans les bombardements de Dresde, une vraie barbarie les bombardements, une sauvagerie, tu ne sais pas, nos deux pères sont décédés aussi...

Klara : — Dans leur lit.

Eux : — Oui, mais morts tout de même, Klara, la mort, c'est la mort pour tout le monde.

Klara : — Et vous êtes orphelins.

Eux : — Ne le prends pas de cette façon, Klara... Klara, voyons, oui en quelque sorte, c'est toujours dur de perdre son père, et à n'importe quel âge, tu dois bien le savoir, toi aussi.

Klara : — Je ne sais pas si on meurt dans la Schutz-Staffel.

Et après ? que s'est-il passé après ?Jusque-là, ce sont des préliminaires, peu amènes certes, on tourne autour du pot à l'imitation des visites de courtoisie, on attend, ils attendent la question qui va fatalement tomber dans leurs assiettes. Ils ne prennent pas les devants, a dit Klara, elle devra le faire.

— Et l'appartement ?

Eux : — On s'est débrouillé. Ce n'était pas facile ça non plus. Tout, tout a été dur. On a quand même réussi à l'acheter... c'est pour Gisela et Marcus, avec leurs quatre enfants, tu sais. Cet appartement était bien trop grand pour une personne seule, hein on trouvait drôle. Jusqu'en 41, c'était incroyable, surtout dans sa situation. Ton père a dû la protéger, c'est pas possible autrement. Notre Gisela n'avait que cinq pièces, elle. Nous, notre appartement, on en a besoin aussi quand on reçoit les enfants, tu vois, Klara.

Klara prend le temps de me rappeler qui était Gisela. Elle était aussi brune que moi blonde. Une vraie Aryenne, dit Klara en ricanant. Après 35, elle ne m'a plus parlé, mais elle n'était pas méchante, plutôt timide, on s'est évité pour ne pas se gêner.

Je n'ai, moi, aucun souvenir de cette fille. Klara venait de préférence chez nous, je n'ai pas dû la rencontrer souvent.

Klara : — Avec les meubles.

Eux : — Où veux-tu qu'on les mette ? Bien plutôt pour les protéger, on a tout pris ensemble, faut pas croire, tout a été inclus dans le prix.

Klara : — Vous avez des preuves, je suppose.

Eux : — Oui, bien sûr, on va te montrer les papiers.

Elle, elle est allée fouiller dans le secrétaire de maman, dans la chambre de maman, dit Klara, j'ai reconnu le bruit. J'ai cru tomber, tu sais comme on dit en français, sans connaissance. J'ai dû leur faire peur, ils m'ont dit assieds-toi, Klara, mais j'ai tenu. J'ai dit, montrez-moi l'acte de vente. J'ai presque tout lu et rien retenu. C'était long. Je ne me souviens plus du chiffre, mais, même à moi qui n'y connais rien, il m'est apparu ridiculement bas. J'ai dit, vous mentez, un appartement de huit pièces, meublé, pour le prix d'une chambre, c'est impossible. Vous pouviez bien aider ma mère, votre bonne voisine, c'était votre bonne voisine, votre bonne affaire, n'est-ce pas ?

Eux : — Ne t'énerve donc pas, Klara. Bien sûr ce n'était pas cher, encore fallait-il pouvoir, à cette époque-là surtout, mais ici, ne figure pas la taxe de compensation que nous avons dû verser, tu vois, tu t'emballes, mais on est honnêtes et corrects. Au fond, cet appartement, c'est bien que ce soit nous plutôt que d'autres, on vous connaissait quand même, ce n'est pas comme des étrangers, on n'a rien changé, tu vois.

Klara : — Vous avez le papier de la taxe de compensation ?

Là, ils ont hésité, et puis, elle, elle est retournée dans la chambre de Margarethe. J'ai réentendu le bruit du secrétaire, a dit Klara. Elle est restée dix minutes environ. Pendant ce temps, lui ne cessait de dire combien finalement, c'était bien, et que, au fond, ils s'en tiraient bien, eux et elle, il voulait qu'ils soient amis. Il bavardait.

— Tu as bien connu Mlle Kuntz, elle vit toute seule là-haut, encore plus sourde qu'avant, tu te souviens d'elle, Mlle Kuntz ? À part elle, on est seuls ici. Gisela est partie avec les enfants dans notre maison à la montagne, c'est plus sûr pour elle, elle a bien fait. Les bombardements ont été atroces, on est des miraculés, mais il valait mieux rester sur place à cause des pillages. On avait prévu, la cave est bien aménagée, on pourra te montrer si tu veux, tu ne reconnaîtras plus, tu connaissais la cave ?

Klara aurait répondu, je connais toutes les caves.

Il a bien dû comprendre, à ce moment-là au moins, que Klara n'entrerait pas dans leur jeu.

Quand elle, elle est revenue sans rien, elle a dit, je

ne vais pas continuer à chercher alors que tu es là, mais ne t'inquiète pas, on va le retrouver.

Encore plus tard.

Eux : — Calme-toi, Klara, de toute façon, tout est en ordre. La loi est avec nous, que tu le veuilles ou non, on ne va pas changer la loi maintenant, c'était le prix de l'époque ni plus ni moins, tu n'y peux rien. À présent, si tu veux le racheter, on pourra en discuter, seulement il faut t'attendre à un réajustement, les temps sont encore durs, et avec la crise du logement, comme tu peux l'imaginer, les prix grimpent, tu penses bien, mais on pourra toujours s'arranger, Klara... on t'a connue toute petite et ta pauvre mère et...

Klara : — Les temps changent pour augmenter les prix, les temps ne changent pas pour valider le vol, car il s'agit d'un vol naturellement. Vous étiez bien placé pour le savoir au ministère des Finances.

Eux : — Mais non, mais non, et on a volé qui, Klara ? L'État alors. C'était devenu biens d'État, tu as oublié tout ça toi, tu n'étais pas là, on n'a pas su où te joindre, tu étais tranquille en France toi, pendant que nous ici hein, nos deux fils à l'armée et notre gendre aussi, c'était pas facile et Gisela et ses quatre enfants, alors tu vois comme c'était, et nos fils aussi ont eu des enfants, il faut bien penser, Klara, pas toujours d'un seul côté.

Klara : — Vous pourriez au moins avoir la décence de me proposer la différence entre la valeur réelle et ce que vous avez payé. Ce serait la moindre des choses. Au lieu de quoi, vous voulez me vendre mon propre appartement en spéculant.

Eux : — Mais tu le prends vraiment mal, Klara ! et ce n'est pas la façon adéquate de raisonner. Tout ce que nous disons et ce que nous avons fait est totalement correct, tu entends, correct. Nous n'avons pas réalisé,

comme tant d'autres, des transactions douteuses, tout
est dans les règles, tu peux nous croire, mais ce qui fait
est fait, dûment payé, signé... tu dois avoir du bien en
France, telle que l'on connaissait ta pauvre mère, pré-
voyante et tout, elle ne t'a pas laissée sans rien, et tu
as encore ton père, c'est ce que tu as dit hein, il pourra
t'aider...

Klara : — Vous savez d'où je viens.

Eux : — Non, mais tu as dû en baver aussi comme
nous, vu ton état...

Klara : — Oswiecim, vous connaissez.

Eux : — Non... Pologne ?

Klara leur dit le nom allemand. Ils ont eu l'air un
peu gênés.

Lui ou elle : — C'était pas drôle sans doute... mais
c'est fini maintenant, tu t'en es tirée finalement, c'est
ça le principal. Tu ne crois pas, Sarah ?

Klara a dit, je crois que c'est à cet endroit du récit
que j'essaie de transcrire à peu près dans l'ordre, il me
semble donc que c'est à ce moment qu'elle a dit :

— Je n'ai plus rien dit. Je les regardais intensé-
ment. Je ne sais pas si c'était de la haine, mais dans le
même temps qu'ils me parlaient, qu'ils continuaient à
babiller à qui mieux mieux, dans ces dernières minutes,
j'ai pris la décision. Sans les quitter des yeux, j'ai
remonté ma petite valise sur la table, je l'ai ouverte en
maintenant le couvercle sur mes mains, j'ai enlevé la
sécurité à l'intérieur de la valise, ils me regardaient sans
comprendre, et très vite j'ai sorti le revolver et je les
ai tués tous les deux, lui d'abord, elle après, tout très
très vite. Lui est tombé par terre, j'ai ajouté une balle
dans la tête, elle, elle s'est écroulée sur la table, une
balle aussi dans la tempe à bout portant, impossible
qu'ils en réchappent.

Après, j'ai pris la clé de l'entrée sur la console,

c'était celle de ma mère, la clé avec le petit anneau brillant, l'autre était dans la serrure. J'ai fermé à clé de l'intérieur et enlevé aussi cette clé. Ensuite, je suis passée à l'office, j'ai laissé l'une des clés bien en évidence sur le buffet et j'ai fermé avec l'autre clé, elle aussi à ma mère avec un anneau brillant. C'est tout ce que j'ai pris dans l'appartement, les deux clés de ma mère. C'est ce que j'avais dans ma valise avec le revolver sans balle. Il en restait une cinquième, j'ai tué un rat dans une cave où j'ai dormi.

J'ai seulement demandé :

— Est-ce que depuis, tu le regrettes ?

— Non. Ces gens ont tout traversé avec beaucoup de chance. Je suis seulement leur malchance, le bombardier, le pot de fleur, la balle perdue, le voleur surpris, la malchance quoi, rien de plus.

Elle a un peu réfléchi.

— Mais je ne suis pas, à moi seule, la malchance. La malchance, c'est la rencontre – la rencontre de leur bêtise, de leur égoïsme, de leur hypocrisie et de moi et mon revolver. Je n'étais pas venue pour les tuer, j'ignorais qu'ils étaient là, je ne savais rien de l'histoire. Je voulais revoir la maison, c'était miracle qu'elle soit debout. Berlin pour s'y retrouver... j'ai mis une semaine. Je ne reconnaissais plus rien, il fallait se méfier de tout, passer dans les ruines d'une zone à l'autre, les gravats et partout des rats, des ombres, des gens hagards, fous, qui ne comprenaient pas les questions... voir ces gens satisfaits, presque geignards et sans honte, surtout sans honte, inaccessibles à la honte, à une honte minimale, à un doute, quelque chose que j'aurais senti vaciller, une toute petite fêlure... je n'en demandais pas tant... alors la malchance, c'est cela, ce qu'ils représentaient et ce que j'étais à ce moment-là.

Il y a eu un court silence.

156

— Ils sont morts sur leur chaise. (Elle s'est reprise.) Ils sont morts sur les chaises Biedermeier de mes grands-parents allemands, ils sont morts en pleine digestion. Quel luxe ! C'est autre chose que la mort au block 25. C'est autre chose que d'être gazé et enfournaisé.

Je leur ai offert une belle mort, celle qui a été refusée à tous ceux qui sautaient sur la rampe, qui ont été gazés ou esclaves, morts dans l'abjection la plus totale, dans l'humiliation et la peur sordide. Eux, leur mort n'a pas été dégoûtante, elle a été rapide, sans appréhension, sans maladie, sans souffrance. Pour ces gens indignes, j'ai réalisé le vœu de tout le monde. Finalement, ce n'est pas très juste.

Et même, a-t-elle ajouté, je leur ai évité le tribunal, la vieillesse, la maladie et le remords. Je les ai délivrés d'au moins trois de ces calamités ! Si j'ai un regret, c'est mon absence de préméditation. C'est plus un accident qu'un bel acte.

Dans la soirée de ce samedi, tout en parlant de choses et d'autres, de temps en temps, elle rajoutait un détail. Ainsi, en plus des deux clés, elle a emporté l'acte de vente qu'elle a ensuite consciencieusement brûlé. Elle a aussi retrouvé ses chaussures de montagne dans le débarras au fond de la cuisine. Je me souviens de ce débarras, on s'y cachait parfois pour jouer. Il y avait deux énormes armoires et une grande penderie avec les skis, les raquettes, les criquets, les quilles et toutes les chaussures de marche et de sport.

C'est vrai qu'ils n'ont rien changé, a confirmé Klara, sauf... sauf le salon moderne comme ils ont dit... le petit salon... plus un meuble.

Margarethe avait entièrement aménagé ce salon avec des réalisations de ses amis du Bahaus, meubles, tapis, lampes, tentures, deux Klee je crois, bref, tout ce que détestait Ullrich Adler.

Elle m'a aussi raconté, qu'avant de fermer la porte d'entrée, elle avait scruté les montants des deux côtés et la serrure. Elle n'y a vu aucune trace d'effraction ni de réparation.

Je ne discernais pas les raisons de ces détails insinuants pour ce qui est du salon et de la porte. Après, j'ai deviné au fur et à mesure.

— Maman avait horreur des armes, elle n'a jamais su ni voulu s'en servir, elle n'aimait pas que j'aille à la salle d'armes avec mon père... elle aurait choisi le poison... si ta mère lui en a fourni, comme tu me l'as dit... avec les fils et le gendre dans la Wehrmacht, ils avaient des armes, eux... et puis, a-t-elle conclu durement, un si grand appartement pour une personne seule et dans sa situation, on trouvait drôle...

Alors, j'ai compris.

Elle m'a confié que l'incendie de l'immeuble avait été un de ses projets poussé jusqu'à trouver un jerrican d'essence, mais elle s'est souvenue à temps de Mlle Kuntz.

— Alors tu vois ! a-t-elle commenté.

Ce que j'ai prolongé mentalement par « je ne suis pas un monstre ».

Elle ne l'a pas dit.

Et puis, cette dernière soirée, avant de se coucher, il y a eu ceci.

— Ils m'ont appelée Sarah, tu te rends compte !

Je n'ai pas réagi.

Elle a dit alors une chose bizarre.

— C'est eux qui ont fait sauter la sécurité sur mon revolver avec le déclic Sarah.

— Tu me dis, Klara, que c'est ce nom ?

— Sans doute oui... le mot « juif » en a fait sauter bien d'autres !

Comment croire, faut-il croire ? Supposer l'invention délirante, l'imaginaire de Klara, les désirs de Klara transposés.

Finir par le croire.

Enfermer les mots dans un placard et jeter la clé, oublier l'existence de la clé et du placard.

Klara comme un chantier.

Achevé d'imprimer sur les presses de

BUSSIÈRE
GROUPE CPI

*à Saint-Amand-Montrond (Cher)
en janvier 2004*

POCKET - 12, avenue d'Italie - 75627 Paris Cedex 13
Tél. : 01-44-16-05-00

— N° d'imp. : 40009. —
Dépôt légal : février 2004.

Imprimé en France